Justicia y Compasión

Una teología misional contextual

JUSTICIA Y COMPASIÓN

UNA TEOLOGÍA MISIONAL CONTEXTUAL

DR. MARIO SALAMANCA

Editor: Eliud A. Montoya

Justicia y compasión: una teología misional contextual

ISBN: 978-0-9889010-9-4

Diseño del libro: Iuliana Sagaidak

Editorial: Palabra Pura, www.palabra-pura.com

CATEGORÍA: Religión / Iglesia cristiana / Crecimiento

IMPRESO EN ESTADOS UNIDOS DE AMERICA

PRINTED IN THE UNITED STATES OF AMERICA

~ TABLA DE CONTENIDO ~

Este libro trata de un tema de suma importancia en nuestros días. Hoy, como nunca, es necesario tener compasión dentro de nuestras comunidades, pero mucho más —especialmente—, en la iglesia.

DANNY DE LEÓN —Pastor principal del Templo Calvario AD (Santa Ana, California).

Levantar la voz de justicia y compasión a favor de los que no tienen voz, es un mensaje con sentido profético …Que el Espíritu Santo use esta obra como un instrumento de avivamiento [para el] despertamiento de la vocación de la iglesia.

JUAN DE DIOS ACUÑA —Pastor principal de la Iglesia Nueva Vida AD (Tyler, Texas).

~ AGRADECIMIENTOS ~

Agradezco a la iglesia Rey de reyes Church, la cual, por gracia de Dios, he pastoreado por años, y cuyos miembros se han mantenidos leales a nuestro Señor y Salvador Jesucristo. A ellos agradezco también su entrega, servicio y pasión en el desarrollo del proceso de la vocación misional como congregación.

A mis hijos Samuel y Daniel y a mi esposa Kenelma: ellos han sido clave a lo largo de todo el proceso de publicación de este libro.

A mis padres y a mis hermanas.

~ PREFACIO ~

Los titulares noticiosos de las últimas semanas [hablan] de una práctica más justa con las familias que buscan asilo político, [quienes están] huyendo de la violencia en sus países. Pero al momento, sigue inseguro el futuro de los niños que ya fueron separados de sus padres…

Históricamente, la gran mayoría de las iglesias evangélicas latinas ha asumido que no puede ni debe tratar de influir directamente sobre estas realidades. Siempre ha practicado la ayuda mutua y ha respondido a situaciones de necesidad inmediata; pero está al margen del poder político asumiendo que «el mundo no es su hogar».

A este tipo de situación se dirige el Dr. Mario Salamanca. ¿Cómo van a trabajar las iglesias latinas en pro de la justicia y la compasión de un pueblo que no tiene voz? El autor reconoce que las iglesias necesitan ser dirigidas por lo que enseña la Biblia. Nos demuestra que la Biblia nos llama a practicar la justicia y la compasión a favor de los que no tienen voz. También nos presenta ejemplos bíblicos y propios para demostrar que Dios nos llama a practicar la compasión y a luchar por la justicia de los que no tienen voz. También presenta herramientas claves para las iglesias que deseen practicar la justicia y la compasión.

Vivimos en medio de muchas injusticias y necesitamos reflexionar sobre cómo ministrar en situaciones a las cuales Dios nos llama a responder. Mientras la comunidad evangélica latina continúa creciendo, hay muchos intereses que quieren controlar nuestras acciones. Buscan que respondamos a ciertas injusticias y que callemos ante otras, dependiendo de sus perspectivas políticas y no de las necesidades de los que no tienen voz.

Este libro nos recuerda que Dios tiene un compromiso

especial con los más vulnerables, los huérfanos, las viudas y los extranjeros. Y es allí donde necesitamos estar los cristianos, practicando *Justicia y compasión una teología misional contextual.*

Gracias Dr. Salamanca, por su invitación y por su trabajo a favor de los que no tienen voz.

JUAN FRANCISCO MARTÍNEZ GUERRA
Profesor del Seminario Teológico Fuller

~ INTRODUCCIÓN ~

Al reflexionar en la misión de la Iglesia, cada creyente debe autoanalizarse acerca de lo que esto realmente significa en su contexto; pues de esta manera, al realizar un escrutinio severo y genuino podrá ver por sí mismo o por sí misma si está cumpliendo con la vocación del ministerio.

La iglesia de hoy necesita moverse en lo que Dios se mueve, sentir lo que Dios siente, mirar lo que Dios mira y escuchar lo que Él escucha. Tal como lo expresa la siguiente declaración de Alan Hirsch:

> *Porque cuando la iglesia cumple su verdadero llamamiento, es cuando se ocupa en lo que Dios se ocupa.* [1]

Una visión de este tipo permitirá al converso caminar en el verdadero sentir del plan de Dios. Hay que aclarar que no se intenta dar por sentado que todo lo que se hace es ajeno a la misión de Dios, pero quiero que seamos motivados a dar una mirada penetrante, genuina, que alumbre lo más profundo del accionar pastoral de la iglesia.

El costo de una visión de este tipo puede ser grande, revelador, comprometedor, incómodo y desafiante. Sin embargo, los resultados que deja dicho proceso son esperanzadores para poder regresar al principio misional de la iglesia primitiva.

Lo primero que se necesita, al hablar de este tema esencial, es dar una base bíblico-teológica a lo que realmente significa la misión de la iglesia de hoy. De ello, Sherron Kay George escribe:

> *La misión de Dios se origina en el corazón de Dios, en la persona de Dios; en la actividad y en el amor de Dios.* [2]

---

[1] Alan Hirsch, *Caminos olvidados,* (USA: Missional Press, 2009), 16.

[2] Sherron, K. George, *Llamados al compañerismo en el servicio de Cristo: La práctica de la misión de Dios.* (Quito: Sinodal, 2006), 16.

Es decir, Dios es una fuente de amor que envía, por lo tanto la tarea es comprender que todo lo que se hace en la iglesia debe corresponder a lo que hay en el corazón de Dios y afirmar que hay misión porque existen personas; y Dios las ama a todas.

El amor de Dios es la base de la misión; de modo que cuando la iglesia se mueve sobre esa base entonces encontrará las respuestas acerca de lo que ella realmente es: lo que ella es determina lo que hace. La iglesia es un agente del reino que responde misionalmente al contexto donde Dios la ha puesto, a fin de que sus integrantes sean testigos y discípulos de Jesucristo. La misión al estilo de Dios no debería ser algo extraño para los discípulos, ya que el mayor ejemplo de lo que es vivir misionalmente es la persona de Jesús.

El Señor Jesús, al encontrarse con la mujer samaritana, le hizo una petición: "Dame de beber"[3] (Juan 4:7). A la samaritana le sorprendió este acercamiento puesto que las implicaciones de tal comunicación eran complejas. En primer lugar la solicitud provenía de un hombre; y en segundo, este era un judío. Otra cosa más, la mujer se maravilla al observar que alguien que no era de su condición social, se le acercara sin tener en cuenta las diferencias.

Aquí se puede entender que Jesús provocó el acercamiento. Él estaba dispuesto a ignorar las distancias culturales, religiosas e incluso políticas de su abordaje, con tal de auxiliar a esta pobre mujer en necesidad espiritual. Jesús sabía su historia, sin embargo, no inicia la conversación con el desagradable relato de su vida, sino con una petición que de alguna manera le dignificaba ante la sociedad que la había marginado.

Este claro ejemplo muestra que si queremos actuar misionalmente, tenemos que hacerlo a partir de la premisa de que el prójimo tiene algo que ofrecer. También se requiere una conciencia bíblica que nos informa quién es el prójimo. Ello nos ayudará a enfocarnos en su dignidad, la tan importante dignidad que posee todo ser humano.

---

[3] Sociedades Bíblicas, *Santa Biblia Versión Reina Valera* 1960 (Miami: Editorial Vida, 1960).

Toda iglesia cristiana evangélica en el mundo debe aprender a ver más allá de los antecedentes de las personas y actuar como Jesús lo hizo. Es sumamente esencial partir de la perspectiva correcta, como lo dice Elizabeth Conde-Frazier:

> *Los testimonios de las mujeres latinas, sus testimonios cotidianos, son narraciones que empoderan cuando convergen con las historias bíblicas.* [4]

Este libro nace como una respuesta misional de la iglesia en el mundo de hoy. Una iglesia cuya feligresía es compuesta mayormente de mujeres, madres viudas y madres solteras; pero también de hombres que salieron de los vicios, y en el caso de algunos de ellos, totalmente marginados de la sociedad. Así, su parte medular es, y no podría ser otra, la explicación de la respuesta misional existente sobre el fundamento de la historia de este tipo de personas en la Biblia.

Es digno de observarse que entre tales historias hay distancias culturales. Sin embargo, al mismo tiempo se pueden notar las crisis de sus protagonistas, su vulnerabilidad, sus desesperanzas y tragedias. También se aprecia cómo, en medio de tal contexto, Dios actuó dando respuesta a sus necesidades.

El reto propuesto alienta a leer la Biblia con ojos redimidos, con corazón humilde y mente renovada, de modo que percibamos al Dios que ama, libera, suple y orienta a todos los desprotegidos y desamparados de la tierra. Es decir, en la Biblia podemos observar que Dios permanece activo en relación a las necesidades de aquellos que sufren y que están relegados.

El propósito de este libro es dignificar estas personas y movilizar a las iglesias en el mundo para tenderles la mano. Ello mediante el empleo de herramientas sólidas y prácticas. Recursos que les permitirán integrase cabalmente a una sociedad que les etiqueta con los típicos sinónimos de una colectividad sumergida en el individualismo, y que cada día carece más de misericordia por los más necesitados.

---

[4] Elizabeth Code-Frazier, "Testimonios, relato, agencia y la mujer latina," en *Vivir y servir en el exilio,* eds. Jorge E. Maldonado y Juan F. Martínez (Buenos Aires: Ediciones Kairós, 2008), 125.

Sin lugar a dudas, este libro nos orienta en relación al entendimiento y concientización de la necesidad y las acciones que puedan encaminarse a una solución finalmente espiritual a la situación de toda persona que está marginada. Sin embargo, cada comunidad posee su contexto y caso particular. Me gusta lo que expresa Craig Van Gelder:

> *El ministerio toma lugar únicamente en relación a nuestro contexto particular, y en tanto tal ministerio se ponga en acción, las congregaciones desarrollarán las prácticas específicas de su contexto.* [5]

En este libro estaremos analizando el papel de la iglesia en los problemas sociales, daremos una explicación más o menos detallada al tema de la justicia social en la Biblia. Seguiremos luego con la compasión en el Antiguo Testamento y lo que vemos de ella en los relatos de Jesús. Observaremos como ejemplo algunas porciones del Nuevo Testamento en relación a las viudas, particularmente en el relato de Hechos 6.

Luego haremos un escrutinio minucioso del tema de la injusticia social mediante algunos ejemplos encontrados en las Escrituras. Estudiaremos algunos casos de personas que fueron objeto de menosprecio social en la Biblia y en particular varias narraciones de viudas, terminando con los casos de mujeres que fueron rechazadas en la sociedad en que les tocó vivir. Veremos cómo Dios ayudó a todas estas personas a salir de su amargura y frustración.

Asimismo abordaremos temas relacionados con el ministerio de ayuda en la iglesia local, los desafíos que esto involucra y sus oportunidades. También brindaremos ideas y herramientas que permitan al lector realizar un análisis de su contexto a su propia comunidad.

En el capítulo 9 estaremos viendo temas de liderazgo y la gran importancia que tiene cada uno de los integrantes de los proyectos misionales que estén inmersos en la misión de Dios.

---

[5] Van Gelder, Craig, *The Missional Church in Context: Helping Congregations Develop Contextual Ministry*, Missional Church Series. (Grand Rapids, MI: William B. Eerdmans Pub. Co., 2007). [Traducido del inglés por el autor].

Todo esto nos servirá como una plataforma de conocimiento para tener una mejor comprensión de las narraciones que vemos en la Biblia en relación a los que sufren de rechazo y desamparo.

A lo largo de este libro observaremos el énfasis que hago a la plataforma bíblica y teológica de este tema fundamental, y del por qué misional de la iglesia. Así, veremos cómo es que Dios deja muy claro en su Palabra su preocupación por los necesitados; cómo provee su auxilio divino a favor de los que sufren; y cómo pone en boca de los profetas poderosas exhortaciones para que la iglesia desarrolle una teología moral y práctica con los menos afortunados. Con todo esto se comprueba que la plataforma misional requiere -y debe verse desde- una perspectiva bíblica, a fin de que la iglesia comprenda su misión y logre desarrollar una teología de compasión.

PARTE 1

UNA TEOLOGÍA DE COMPASIÓN

Sin lugar a dudas un enfoque teológico es de donde parte el actuar de una iglesia. Todos podemos coincidir en que una iglesia local entiende y cree en la teología de compasión descrita por las Escrituras, coadjuntará sus esfuerzos en esa dirección. En esta sección entenderemos en qué consiste esta teología de compasión, cuales son sus bases escriturales y cómo esta teología es la que fue enseñada por Jesús y los apóstoles.

CAPÍTULO 1

ESPERANZA PARA EL DESAMPARADO

La esperanza para los desamparados y afligidos del mundo es un concepto que nace en el corazón de Dios. No es algo que en este mundo se pueda crear o generar, pues toda fuente de compasión y amor proviene de Dios mismo.

Jesús nos revela que fue Dios, quien amó tanto al mundo, el que proveyó solución al problema existencial del ser humano. Y es este mismo Dios quien extiende su mano a los que sufren, a los desamparados de la tierra. En Salmos 146:7 leemos,

> *Que hace justicia a los agraviados, que da pan a los hambrientos. Jehová liberta a los cautivos; Jehová abre los ojos a los ciegos; Jehová levanta a los caídos; Jehová ama a los justos.*

En este capítulo veremos algunos aspectos importantes que develan el corazón de Dios; pues es de ahí de donde parte la esperanza para los desamparados, y la teología de misión y compasión.

Una teología de misión

Al hablar de teología de misión se hace referencia al corazón que Dios tiene para su Iglesia.

En referencia a esto, lo que indica Sherron Kay George es pertinente en este apartado, pues ella dice:

> *La misión de Dios se origina en el corazón de Dios, en la persona de Dios, en la actividad y el amor de Dios.* [1]

Es decir, el Dios del cielo es un Dios misionero, y puesto que Dios es amor, la misión es una misión de amor.

Dios es la fuente del verdadero amor; por lo tanto, la iglesia necesita comprender que todo lo que hace debe corresponder a lo que hay en el corazón de Dios; y porque existen personas y Dios ama a todos, existe una misión que cumplir (Juan 3:16).

Cuando la iglesia comprende esto, sólo así podrá encarnar la misión de Dios en la vida práctica, recordando siempre que lo que ella hace se origina en lo que ella es: un agente del reino que responde misionalmente al contexto donde Dios la ha puesto para ser testigo. Pues así, de esta manera, será capaz de hacer discípulos de Jesucristo.

Samuel Escobar expresa:

> *El Espíritu Santo impulsa hoy a los creyentes en Jesucristo a ir al mundo como testigos de la gracia y el amor del Padre.* [2]

Por lo tanto, la misión al estilo de Dios no debería ser algo extraño para los discípulos, ya que cuentan con la persona de Jesús como mayor ejemplo de lo que es vivir misionalmente (Filipenses 2:5ss).

Se puede decir que la misión de Jesús tiene ciertas características y, como sigue diciendo Escobar:

> *No deja de sorprender cuán inclusiva resulta ser la misión de Jesús. Abarca tanto al pobre como al rico, al oprimido como al opresor, al pecador como al devoto. Su misión se realiza disolviendo la alienación, derribando muros de hostilidad y cruzando barreras entre individuos y grupos.* [3]

---

[1] Sherron, K. George, *Llamados al compañerismo,* 16.
[2] Arana, Pedro; Escobar, Samuel; y Padilla, C. René, *El trino Dios y la misión integral.* (Buenos Aires: Kairós, 2003), 73.
[3] Bosch, *Misión en transformación*, 46.

Esto debe motivar al pueblo de Dios a desarrollar la misión en su propio contexto, y puesto que este contexto podría ser muy diverso (como lo apunta Escobar), el reto para la iglesia a responder a las diversas plataformas de misión es enorme.

Por esto, debe haber una inspiración motivadora. Una motivación para mirar a las multitudes como Jesús lo hizo (Marcos 8:2) y llamar como Jesús llamó a un hombre rico para posar en su casa (Lucas 19:2, 5). Tiene que haber un motivo para hablar a la samaritana, como Jesús lo hizo en Juan 4 y para dejarse lavar los pies por una mujer de dudosa reputación (Lucas 7:39), como Jesús así lo permitió.

La iglesia necesita desarrollar una correcta visión teológica de la misión. Una que incluya todos los aspectos del diseño de Dios para su creación; así lo sugiere Nancy Bedford:

> *Es posible proponer algunas marcas de la misión, o «notae missionis», como elemento teológico de apoyo para nuestro proceso de discernimiento como seguidores y seguidoras de Jesús en un marco eclesial. Propongo la pentecostalidad, la ecumenicidad, la inclusividad y la ubicuidad como marcas indispensables de la integralidad de la misión.* [4]

Lo que Nancy Bedford hace notar es que la iglesia necesita discernir que el corazón de Dios está centralizado en la misión, y su misión incluye a todos y está en todos, sin importar el tipo de persona de que se trate. Sin embargo esto únicamente es posible mediante la intervención del Espíritu Santo.

La misión de un Espíritu Santo que une

Con esos aspectos anteriormente mencionados se puntualiza la santidad eclesial como parte de la misión[5], es decir, que la base de la misión de Dios parte de su carácter santo. En esa esfera, la iglesia es impactada a moverse en el sentido espiritual de la misión.

---

[4] Nancy Bedford, en *La iglesia local como agente de transformación,* ed, Padilla, C. René, Padilla y Yamamori, eds. 55-56.

[5] Ibid.

Así como la misión es definida en su santidad eclesial, también la iglesia puede entender esta misión desde la perspectiva de la unidad eclesial e integral. "La misión del Dios uno y trino"[6] se manifiesta en sus propósitos divinos a través de toda la Escritura.

Podemos identificar a través de la Biblia la unidad de Dios y al Espíritu Santo como el que unifica. Según lo puntualiza René Padilla cuando dice:

> *El Espíritu es la persona de unidad, de vínculo, [la] que une al Padre con el Hijo, al Padre con el Espíritu y al Hijo con el Espíritu y une a los tres en un [como algunos a esta unidad llaman] «vinculum amores» [vínculo de amor].* [7]

Por consiguiente, desde la creación, podemos ver la actividad creadora de este Dios trino, y es Dios mismo quien da forma a su proyecto a través de la encarnación de Cristo (Juan 1:14). Es decir, eso fue necesario para que la misión fuese sostenida y comunicada por el Espíritu. En otras palabras, desde este punto de vista la iglesia puede entender mejor la misión de Dios, que es su carácter de unidad divina.

Carácter inclusivo de la misión

La misma unidad divina reta a la iglesia a adoptar un carácter de inclusividad[8] (Gálatas 3:28) en todas las esferas de la vida, puesto que la misión de Dios "incluye todo lo que tiene que ver con la vida humana y hasta la cósmica."[9]

Dios no deja pasar nada por alto. Esta misión es integral dado que Dios, por medio de Jesús, aclara que

> *El origen de la misión cristiana es la voluntad salvadora de Dios, que ama al mundo que ha creado y que se hace humano para revelarse de manera plena a los humanos y así cumplir su propósito.* [10]

---

[6] *El trino Dios y la misión integral*, 11.
[7] C. René Padilla, *La fuerza del Espíritu en la evangelización: Hechos de los apóstoles en América Latina* (Buenos Aires: Kairós, 2006), 18.
[8] Padilla, 58.
[9] Ibid.
[10] Arana, 91.

Lo anterior define el modo en que el pueblo de Dios necesita ver la misión. Dios, por medio de la misión, da un mensaje a su pueblo enseñándonos cómo Él actúa para con su creación para redimirla. Este mensaje deja claro que la misión tiene un carácter de inclusividad, pues *todos* los miembros de la iglesia están incluídos en una misión que consiste en invitar a *todos* a reconciliarse con Dios (2 Corintios 5:19).

En otro sentido, la misión de Dios también debe entenderse en su carácter universal o católico.[11] Carácter bajo el cual cada iglesia es entendida como un agente [y testigo misional] de la obra redentora de Jesucristo. Es decir, la iglesia no responde a sus intereses. De hecho, la iglesia representa, a través de la misión, al eterno Dios que desea redimir a su creación, pues las barreras que le separaban con ella han sido eliminadas por el sacrificio de Cristo (Gálatas 3:28).

La iglesia misional como agente de transformación

La iglesia que entiende que su vocación como agente de la misión y de transformación implica ver, escuchar, sentir y actuar dentro del propósito redentor, sabe que *es* un agente del reino. Lo sabe porque *siente* la compasión que Cristo sintió al ver a las multitudes como a ovejas sin pastor (Mateo 9:36). Es más, *ministra* los dones y sacramentos como señales de la presencia del reino de Dios en la humanidad.[12]

El pueblo de Dios es constituido por aquellos que se muestran en Cristo como los actores de "una realidad presente y a la vez [como promotores de] una promesa que se cumplirá en el futuro."[13] Ellos son actores y promotores de una trasformación tanto presente como futura.

Es en esa realidad presente que la iglesia es llamada a ser un agente de transformación por medio del evangelio, como lo sugiere Antonio González:

> *La fe cristiana anula todas las estructuras prácticas que subyacen*

---

[11] Padilla, 2003, 58.

[12] Martínez y Branson, "OD722: Liderazgo misional para un mundo multicultural" (curso, Fuller Theological Seminary, Pasadena, 2009).

[13] Padilla, 58.

> *a los sacrificios, cuestionando así todo orden social establecido. Por eso mismo, la predicación de la fe cristiana es en sí misma un instrumento esencial para transformar un mundo de pobreza y opresión. El anuncio del evangelio, lejos de ser algo distinto de las tareas prácticas de transformar al mundo, es la columna vertebral de toda transformación eficaz de ese mundo.* [14]

Cuando la iglesia entiende lo que enuncia y lo que representa, se convierte en testigo presencial del reino (Mateo 15:14) a través del evangelio.

Jesús es la manifestación del amor de Dios, y la grey es llamada a vivir y recuperar el sentido misional de la iglesia primitiva que, por comunicar y ser testigo, estaba dispuesta a ser sometida al crisol de la persecución.[15] Sin embargo, en ese crisol nació una conciencia más clara de la misión de Dios. Por lo tanto, la iglesia que quiere participar en la misión de Dios y convertirse en un agente de transformación debe estar dispuesta a ser retada y desafiada para que una vez más lea las páginas de la historia con ojos pedagógicos y misionales. Es decir, mirar a la iglesia primitiva en su crecimiento natural en cuanto a la misión y al entendimiento de su vocación y llamado. Así, al pensar en los primeros cristianos, se puede descubrir lo siguiente:

> *En sus inicios, el cristianismo se extendió muy rápidamente de diversas maneras, particularmente en la parte oriental del Imperio Romano y en las metrópolis. Tanto evangelistas itinerantes como maestros y apologistas fueron todos instrumentos, pero el principal medio fue el testimonio de los cristianos que estaban dispuestos incluso a morir por su fe.* [16]

Queda claro y manifiesto que la iglesia participa activamente en el testimonio del evangelio en cualquier lugar que se presente y es en esta participación que se desarrolla la misión de Dios.

---

[14] A. González, Reino de Dios e imperio, 305.

[15] Tomado de Oscar García Johnson.

[16] Bevans Stephen B. y Schroeder, Roger, *Constants in Context : A Theology of Mission for Today*, American Society of Missiology Series (Maryknoll: Orbis Books, 2004), 74. [Traducido del inglés por el editor].

El ejemplo misional de la iglesia de Antioquía

Se puede observar como ejemplo de una iglesia misional la iglesia de Antioquía en Hechos 13. Ésta era una congregación con desventajas de diversa índole; no tenían experiencia misionera, carecían de recursos económicos, no tenían una infraestructura que les proporcionara las comodidades ni las facilidades para desarrollar la tarea misionera, es más, la iglesia no estaba localizada ni geográficamente ni culturalmente dentro de la élite de las comunidades mayoritarias de la época.[17]

A la luz del ejemplo anterior, las iglesias en la actualidad necesitan evaluar cómo están realmente participando en la misión de Dios (con todo y sus implicaciones) siendo así testigos en un mundo hostil al mensaje que se predica.

Leemos en Hechos 1:8 que Jesús manda a sus discípulos a que sean "testigos".[18] Entendemos que esta clase de testigos son aquellos que se comprometen con el mensaje que predican y que atestiguan que lo que dicen es cierto, cueste lo que cueste.

El entendimiento del significado de ser testigos invita a la iglesia en la actualidad a retomar el compromiso con este mundo. Un mundo que se encuentra en una crisis postcristiana y neopagana; y que invita a pensar una vez más, seriamente, en la misión de Dios, porque aun cuando los indicadores estadísticos de la fe son todavía altos, la influencia social es baja.[19]

Por lo tanto, la iglesia que quiere ser agente de transformación en la sociedad necesita pensar en la «*salvaci*» misionalmente en cuanto a multitudes e individuos. Pensar en la salvación integral de los perdidos; pues de esta forma la misión de Dios orienta a la iglesia y no la iglesia a la misión local.

Dando consuelo a los desamparados

Todo pastor y líder eclesiástico debería fomentar el consuelo

---

[17] Tomado de una predicación de Juan F. Martínez. El Salvador 2008.

[18] Fisher, Fred L., *Diccionario de Teología,* 606. "Testigo" (*martus*) es principalmente "uno que testifica" (*martureō*), que por acto o palabra da "su testimonio" (*marturion*) de la verdad.

[19] Gibbs, Eddie, *La Iglesia del futuro: Cambios esenciales para lograr un desempeno eficaz* (Buenos Aires: Peniel, 2005), 48.

para los desamparados en la realidad de su propio contexto. Ejemplo de ello, en mi experiencia pastoral en Compton, la reflexión de que Cristo está con su pueblo, que Él también es un inmigrante y que camina con ellos es una idea que fortalece la espiritualidad del pueblo de Dios entre nosotros.

Nosotros descubrimos en ese proceso una vocación y una convicción del llamado a esta comunidad y para la comunidad, a través de la convicción de que la iglesia es el pueblo de Dios, llamado a ser fiel testigo en la comunidad y ser consciente de la misión reveladora por parte de Dios. En todo este proceso, se necesita entender lo que significa la vocación cristiana. El doctor Samuel Pagán brinda una serie de definiciones elocuentes que ayudan a entender el sentido de la misión eclesial:

> *La vocación ministerial es el descubrimiento y la aceptación de que hemos sido llamados por Dios. La vocación es descubrir que hay en nosotros capacidades, intereses, potencialidades, recursos. La vocación es el espíritu hidalgo que nos cautiva a emprender una carrera hacia el futuro, conquistando molinos, liberando conciencias, la vocación es el sentido de seguridad que tenemos sentido de dirección en la vida: vamos orientados hacia el servicio, vamos guiados por el interés de ayudar, vamos movidos por un sentimiento consolador, vamos impelidos por la fuerza activa del Espíritu Santo.* [20]

Como lo afirma el Evangelio de Lucas:

> *El Espíritu del Señor está sobre mí, por cuanto me ha ungido para dar buenas nuevas a los pobres; me ha enviado a sanar a los quebrantados de corazón; a pregonar libertad a los cautivos, y vista a los ciegos; a poner en libertad a los oprimidos (Lucas 4:18-19).*

Jesús se presenta a Él mismo como las buenas noticias para los pobres, ya que encarna las bendiciones del reino. Además, se ocupa de todas las necesidades del ser humano. Es decir, cumple una función integral con la humanidad. Esta debe ser

---

[20] Esteban Voth, "Bases bíblicas para la misión integral," en *Misión integral y pobreza*, eds. René C. Padilla y Tatsunao Yamamori, (Buenos Aires: Ediciones Kairós, 2001), 72.

la tarea de la iglesia dentro de la comunidad que ministra. Y debe ser esto así, porque la Palabra de Dios, que es el fundamento de nuestra fe y conducta, así lo declara.

Desarrollo del ministerio a la luz de las Escrituras

Un buen desarrollo de la Palabra de Dios no sólo tiene que ver con la predicación sino también con las acciones concretas que dan fundamento y demonstración del evangelio. Encontramos en la Biblia, como estamos (y estaremos) viendo a lo largo de este libro, un número considerable de citas bíblicas que confirman la preocupación constante del Señor por los necesitados. Dios está interesado en los pobres. Él es también el Salvador de ellos. Nos dice Salmos 72:13

> *Tendrá misericordia del pobre y del menesteroso, Y salvará la vida de los pobres*

El corazón del Señor está lleno de misericordia para con el que pobre. Nos dice también el Señor Jesucristo:

> *Siempre tendréis a los pobres con vosotros, y cuando queráis les podréis hacer bien (Marcos 14:7).*

Activar a la iglesia misionalmente suele tener resistencia cuando las iglesias locales se han acomodado a vivir la misión de Dios solamente dentro de las cuatro paredes de la iglesia. Ejemplo de esto es cuando alguien podría opinar que será mejor invertir en renovar los instrumentos musicales, renovar el santuario o la fachada del templo; pero no podemos ser negligentes en hacer el trabajo que el Señor nos ha encomendado como iglesia. Como también lo dice Esteban Voth:

> *La iglesia evangélica hoy invierte demasiado esfuerzo en el desarrollo de la espiritualidad individual, en la búsqueda de un estilo de adoración más genuino, en grupos musicales que atraigan a la juventud y en un sinfín de métodos de estudio bíblico y evangelización; tanto que se cuestiona si la gente "religiosa" se preocupa en absoluto por su responsabilidad para con los pobres.* [21]

El concepto de vivir dentro de las cuatro paredes revela que la iglesia existe para sí misma. Muestra que no tiene injerencia

—ni que se interesara— en lo que pasa en la comunidad. Podemos por otro lado confesar que existe mucho trabajo qué hacer y que podemos carecer del entrenamiento apropiado para hacerlo. Entre las deficiencias principales, está carecer de una instalación permanente, así como de obreros competentes para el trabajo, por ejemplo.

La iglesia necesita reflexionar sobre la correcta actitud y motivación hacia la comunidad. Y esto es vital, aún y si ello implica el descubrimiento de nuevas plataformas de misión. El reto, por otro lado, podría radicar en el desconocimiento de cómo aplicar nuevas estrategias desde una forma saludable, como lo afirma John Perkins, en su libro *Restoring at-Risk Communities*:

> *El desarrollo de la comunidad cristiana no empieza con un plan o programa para resolver un problema, sino como un llamado y una responsabilidad dentro del drama del reinado de Dios.* [22]

Cuando la iglesia está propuesta a descubrir su razón de existir e insta en hacer una evaluación seria, concisa y profunda acerca de las motivaciones ministeriales, entonces el Espíritu Santo le guiará a las acciones necesarias para la capacitación, motivación de obreros y cualesquier otras necesidades de desarrollo.

Cuando se tiene esto, entonces la primera etapa del accionar misional en la comunidad será más de aprendizaje y de obtención de experiencia que otra cosa. Eso capacitará a la congregación y la dotará con mayores recursos para una ejecución mejorada de su función ministerial.

Entender la visión de Dios

El apóstol Pablo le encargó a Tito que se presentara como ejemplo en todo (Tito 2:7). Es decir, la responsabilidad empieza cuando el líder entiende la grandeza de la misión e intenta en-

---

[21] Perkins, John, *Restoring at-Risk Communities: Doing It Together and Doing It Right.* (Grand Rapids: Baker Books, 1995), 212. [Traducido del inglés por el autor].

[22] Pagán, Samuel, *Púlpito, teología y esperanza.* (Miami: Editorial Caribe, 1988), 47 [Traducido del inglés por el autor].

carnarla en su propia vida. Eso le da la fuerza y la motivación para seguir adelante en medio de las turbulentas aguas de la desesperación por los resultados.

El liderazgo y la iglesia deben crecer como testigos de Cristo en su comunidad. ¿Cómo? Haciendo presencia de manera transformadora a través del amor. Sherron Kay George lo expresa de esta manera:

> *La iglesia está llamada a ser signo, en y para, el mundo de una nueva humanidad que Dios ha hecho accesible a las personas en Jesucristo. Llamamos a esta nueva realidad del reino, dominio o reinado de Dios. Es un reino de justicia, amor y paz. Cada palabra del Señor encarnado fue un signo de la irrupción de la nueva realidad de Dios en esta tierra.* [23]

Una forma segura para crecer en el proceso misional es cuando se entiende que el crecimiento sucede al vivir y servir en el reino. Ese reino de Dios, que Jesucristo instauró, es un reino de amor en la tierra, por lo que es la visión de Dios que su amor corra por el mundo. No es nada sencillo que la iglesia se sensibilice acerca de esto, pues entender y practicar la visión de Dios es algo del Espíritu y jamás será posible tomarla por los medios naturales.

En el capítulo siguiente estaremos repasando los recursos de Dios en respuesta a los que sufren.

---

[23] Sherron, K. George, *Llamados al compañerismo en el servicio de Cristo,* 38.

RECURSOS DE DIOS EN RESPUESTA A LOS QUE SUFREN

CAPÍTULO 2

Este capítulo describe los fundamentos bíblicos-teológicos de Dios en relación a los desamparados y desposeídos. Asimismo, da énfasis a los mensajes de los profetas, las enseñanzas de Jesús y la práctica de la iglesia primitiva en la aplicación de los principios revelados del reino. También hace un repaso al concepto bíblico de justicia y describe cómo la iglesia encuentra fundamentos en todos estos conceptos para desarrollar su teología de compasión; dado así, de esta manera, una respuesta -siendo un instrumento de Dios- a los desamparados.

CONCEPTO DE JUSTICIA

En el Libro de Amós, encontramos una cita que destaca el deseo de Dios de justicia: "Pero corra el juicio como las aguas, y la justicia como impetuoso arroyo" (Amós 5:24). En el contexto de ese pasaje se puede observar el rechazo de Dios a todo sacrificio y ritual que no sea acompañado de justicia (Amós 5:21-24). El libro de Deuteronomio afirma que Jehová "hace justicia al huérfano y a la viuda, y que ama y da alimento y vestido al extranjero que vive entre ustedes" (Deuteronomio 10:18). También encontramos en los Salmos la siguiente declaración: "El Señor juzga con verdadera justicia a los que sufren violencia" (Salmo 103:6).

Los mandamientos de Dios para los desamparados señalan no sólo la acción sino la actitud al atender al que sufre, y esto sólo será posible entendiendo la justicia como cualidad y atributo de Dios, la cual necesita gobernar las acciones de su pueblo. Por justicia entendemos:

> *La justicia es uno de los atributos comunicables de Dios que manifiesta su santidad. Las palabras traducidas por justicia son: «tsĕdaqah», «tsedeq» y «dikaios». Cuando se usa en relación al hombre, la justicia se refiere al gobierno justo, a la conducta justa o al hecho de que cada uno reciba lo que merece, sea bueno o malo. La justicia relativa de Dios tiene que ver con su rectitud en sí mismo y por sí mismo; por su justicia absoluta se quiere dar a entender la rectitud por la cual él se mantiene en contra de todos los que violan su santidad.* [1]

Consecuentemente, la justicia obliga a ser acompañada por la compasión; y esto pertenece al tema de santidad, puesto el ser justo es parte del carácter de Dios y es ese carácter el que ha trasmitido a su pueblo (Levítico 19ss).

La justicia en relación a los mandamientos

Parte importante de los mandamientos de Dios para Israel era servir a los desamparados y desprotegidos. Por ejemplo, la ley de la siega instruía no cortar la planta totalmente sino dejar una porción al pobre y al extranjero (Levítico 19:9-10). Este mismo principio lo apreciamos en Deuteronomio 24:19-22 que dice:

> *Cuando siegues tu mies en tu campo, y olvides alguna gavilla en el campo, no volverás para recogerla; será para el extranjero, para el huérfano y para la viuda; para que te bendiga Jehová tu Dios en toda obra de tus manos. Cuando sacudas tus olivos, no recorrerás las ramas que hayas dejado tras de ti; serán para el extranjero, para el huérfano y para la viuda. Cuando vendimies tu viña, no rebuscarás tras de ti; será para el extranjero, para el huérfano y para la viuda. Y acuérdate que fuiste siervo en tierra de Egipto; por tanto, yo te mando que hagas esto.*

---

[1] Goddard, Burton L., "Justicia", ed. Everett F. Harrison, Geoffrey W. Bromiley, y Henry F. H. Carl, *Diccionario de Teología* (Grand Rapids: Libros Desafío, 2006), 342.

Estas instrucciones no eran sólo recomendaciones de Dios, sino mandamientos para ser practicados por el pueblo.

De esa manera, cuando leemos en el caso de Rut pidiendo a Noemí que la deje ir a recoger espigas al campo de Booz, tenemos un ejemplo de la clara aplicación de las leyes de santidad y justicia que Dios demandaba a Israel.

> *Y Rut la moabita dijo a Noemí: Te ruego que me dejes ir al campo, y recogeré espigas en pos de aquel a cuyos ojos hallare gracia. Y ella le respondió: Vé, hija mía. Fue, pues, y llegando, espigó en el campo en pos de los segadores; y aconteció que aquella parte del campo era de Booz, el cual era de la familia de Elimelec. Y he aquí que Booz vino de Belén, y dijo a los segadores: Jehová sea con vosotros. Y ellos respondieron: Jehová te bendiga (Rut 2:2-4).*

Entre los mandamientos que Dios estipula a Israel, los relacionados con atender al sector desamparado de la sociedad cobran importancia en relación a la propia identificación de Dios con su pueblo, y a su razón de elegirlo como pueblo propio. Como indica David J. Bosch:

> *El Dios que se ha revelado en la historia es el mismo que ha elegido a Israel. El propósito de la elección es el servicio, y si este no se realiza, la elección carece de significado. Le incumbe a Israel servir al prójimo marginado: el huérfano, la viuda, el pobre y el extranjero. Cada vez que renueva su pacto con Yahvé, Israel reconoce que está renovando su obligación de cuidar a las víctimas de la sociedad.* [2]

Por lo tanto, los mandamientos de Dios relacionados con cuidar a los desamparados estaban orientados para ser el reflejo de la santidad de Dios en las acciones de su pueblo.

Israel debía entender "que la fe nunca puede reducirse a una religión del *status quo*."[3] Esta declaración quiere decir que a menos que el pueblo entendiera su función y misión sólo así tendría capacidad para activar los mandamientos de Dios en rela-

---

[2] Bosch, David J., *Misión en transformación*, (Grand Rapids, MI: Libros Desafio, 2005), 35.

[3] Ibid., 34.

ción a los desamparados y necesitados. Y luego, al servirles, estaría aplicando lo que Dios dijo en Éxodo 19:4-5, en donde leemos:

> *Vosotros visteis lo que hice a los egipcios, y cómo os tomé sobre alas de águilas, y os he traído a mí. Ahora, pues, si diereis oído a mi voz, y guardaréis mi pacto, vosotros seréis mi especial tesoro sobre todos los pueblos; porque mía es toda la tierra.*

Los profetas: su autoridad

Apreciamos la participación de los profetas en el proyecto de Dios en el hecho de la vocación misma del llamado. A Jeremías, por ejemplo, Dios le dice:

> *Mira que te he puesto en este día sobre naciones y sobre reinos, para arrancar y para destruir, para arruinar y para derribar, para edificar y para plantar" (Jeremías 1:10).*

En este texto observamos la misión dual del profeta. Por un lado, es llamado a pronunciarse en contra de lo que no le agrada a Dios. Por el otro, es llamado a edificar sobre la base de la revelación del pacto.

Las iglesias que quieren trabajar en armonía con los principios del reino y puntualmente en las comunidades en crisis deberán reflejarse en la vida y mensaje de los profetas, a fin de poder evaluar el nivel de compromiso ético con la misión de Dios.

La palabra hebrea para profeta es «*nabí*», es decir, se trata de un vocablo derivado del acádico *nabu* y tiene el sentido del que ha sido llamado, el que tiene una vocación.[4] Por consiguiente, al leer los escritos de los profetas podemos identificar que en ellos había un llamado divino. Eso los hacía ser hombres inspirados en el sentido más estricto de la palabra. Nadie en Israel tuvo una conciencia tan clara de la voz de Dios y de la necesidad se ser portavoz de Éste, sino el profeta mismo.[5]

La Biblia muestra y certifica la autoridad de los profetas de Yahvé.[6] Al observar textos como 1 R. 22:24; 2 Cr. 15:1; 24:20;

---

[4] Ropero, 2013, pag. 2020-2021.
[5] Ibid., 2023.
[6] Ibid.

Neh. 9:30; Ez. 11:5; Jl. 2:28; Miq. 3:8; Zac. 7:12; Mt. 22:43; 1 P. 1:10-11, se puede notar que los profetas eran inspirados por Dios para pronunciarse, proclamar y declarar su voluntad. En ese sentido la iglesia debe ver en el mensaje de ellos las pautas para señalar la injusticia que observa y así activar una respuesta acorde a la verdad que ellos declaran.

La función del profeta

Una nota importante para entender la función del profeta en relación a su vocación, misión y mensaje se encuentra en las declaraciones de Samuel Pagán en relación al tema:

> *La importancia del profetismo en la Biblia se pone claramente de manifiesto al estudiar la afirmación teológica que describe la religión del pueblo de Israel como 'profética'. En efecto, el sentido primario de esta declaración es que los profetas en el desempeño de sus ministerios intentan comunicar el mensaje divino al pueblo en categorías educativas, morales, éticas y espirituales que la comunidad pudiera entender, afirmar, asimilar, vivir, disfrutar, compartir y aplicar.* [7]

Dichas definiciones denotan la importancia de la misión y vocación de la iglesia en la actualidad, tomando como punto de partida la función profética.

La iglesia no puede estar ajena a la visión de Dios su razón de existencia; ella no puede señalar los males del mundo como tan sólo el efecto del caos humano y pensar que únicamente al final de los tiempos se vencerá el mal. Ello dejaría a la iglesia sin razón de ser, y sin una necesidad para predicar las buenas nuevas (Lucas 4:16ss).

Una iglesia con una visión limitada no podrá reconocer al Dios de todos los tiempos. Él ha intervenido a través de sus profetas, Él es el Dios de la promesa que eligió a Israel para darle una misión, pero también es el Dios del futuro que pondrá su sello al final.[8]

Los profetas entendieron su función, y su denuncia consistía en aplicar las leyes del pacto de santidad. Asimismo, esto

---

[7] Pagán, 329.

era una manifestación de la justicia que Dios reclama de su pueblo, como podemos verlo en Isaías 1:13-17:

> *No me traigáis más vana ofrenda; el incienso me es abominación; luna nueva y día de reposo, el convocar asambleas, no lo puedo sufrir; son iniquidad vuestras fiestas solemnes. Vuestras lunas nuevas y vuestras fiestas solemnes las tiene aborrecidas mi alma; me son gravosas; cansado estoy de soportarlas. Cuando extendáis vuestras manos, yo esconderé de vosotros mis ojos; asimismo cuando multipliquéis la oración, yo no oiré; llenas están de sangre vuestras manos. Lavaos y limpiaos; quitad la iniquidad de vuestras obras de delante de mis ojos; dejad de hacer lo malo; aprended a hacer el bien; buscad el juicio, restituid al agraviado, haced justicia al huérfano, amparad a la viuda.*

Una denuncia de la corrupción del derecho

La iglesia debe ver en el mensaje de los profetas una invitación a ser capaces de reevaluar su conducta misional basada en la justicia, aunque eso signifique denunciar la injusticia, la explotación, la violación de los derechos de los desprotegidos, pronunciarse en contra de la violencia y la corrupción (Sofonías 3:1-7; Ezequiel 22:23-23-31). Eso fue precisamente lo que hicieron los profetas con su mensaje. Si se toma como ejemplo lo que escribió Amós 3:9-10:

> *Proclamad en los palacios de Asdod, y en los palacios de la tierra de Egipto, y decid: Reuníos sobre los montes de Samaria, y ved las muchas opresiones en medio de ella, y las violencias cometidas en su medio. No saben hacer lo recto, dice Jehová, atesorando rapiña y despojo en sus palacios.*

La denuncia venía de parte de Dios en contra de la injusticia de los que se aprovechan de los pobres y ordena al profeta a cumplir su función pronunciándose en contra de la corrupción. Amós 2:6-7 afirma:

> *Así ha dicho Jehová: Por tres pecados de Israel, y por el cuarto, no revocaré su castigo; porque vendieron por dinero al justo, y al pobre por un par de zapatos. Pisotean en el polvo de la tierra*

---

[8] Bosch, Misión en transformación, 133.

las cabezas de los desvalidos, y tuercen el camino de los humildes; y el hijo y su padre se llegan a la misma joven, profanando mi santo nombre.

Esa es la razón por la cual se ve en los profetas un mensaje de denuncia, una pronunciación en contra de la injusticia. Amós denuncia la vanidad e injusticia de los ricos que vivían a costa del pueblo (Amós 6:4-6). Les trae una palabra que les recuerda el costo de olvidarse de Dios y del prójimo (Amós 8:4-7). De igual forma vemos que la actitud de Miqueas no es diferente a la de Amós.

Ambos ven en las injusticias de los sacerdotes y los gobernantes la violación del pacto y un aprovechamiento totalmente indebido a costa del sufrimiento del pobre (Miqueas 3:9-12).

Los profetas no temen denunciar lo que no está bien; así sean ciudades opresoras (Sofonías 3:1-7), gobernantes corruptos, sacerdotes indignos, falsos profetas y príncipes egoístas, avaros, explotadores de las viudas y de los pobres (Ezequiel 22:22-31).

El profeta Isaías, por su parte, exhorta en contra de la apropiación de bienes de modo corrupto (Isaías 5:8-9). Miqueas trae palabra en contra de la explotación (Miqueas 2:1-2), y Jeremías condena aquellos que construyen sus propiedades a costa de la injusticia sobre el pobre (Jeremías 22:13-19).

La iglesia encuentra la base de la justicia en los profetas

En los profetas la iglesia encuentra fundamento para su proceder justo, cómo ella debe pensar, sentir y actuar. Ello le permitirá hablar en nombre de Dios, señalar el pecado y advertir las consecuencias de la desobediencia. Sin embargo, la iglesia tiene una misión, ha sido revestida de la gracia y toma el mensaje de los profetas, y los interpreta a la luz de una esperanza de cambio. Mientras la iglesia está presente anuncia que Jesús está aquí y que los milagros son evidencia del reino (Lucas 7:22).

Por consiguiente, la iglesia debe tener una clara intención de justicia con el mensaje que proclama. Es decir, traer justicia por medio del reino de Dios, pues esa es la razón por la que Dios trajo profetas que anunciaran la iniciación del proyecto divino a los seres humanos. En relación a esto, el comentario de Wolfhart Pannenberg es pertinente. Él dice:

> *El reino de Dios anunciado por los profetas del Antiguo Testamento y objeto de la esperanza judía es político en su contenido. El reino de Dios, la soberanía de Dios mismo tendrá que realizar definitivamente la tarea que pretenden realizar todos los ordenamientos políticos y en la que han fracasado todas las estructuras políticas humanas; tarea que consiste en la realización de la paz y justicia entre los hombres.* [9]

Esto quiere decir que la tarea del profeta, en relación a la justicia, es traer armonía entre el Creador y su creación. De la misma manera, la tarea profética de la iglesia es fundamental, no sólo por el mensaje mismo, sino por la acción que provoca, y que luego produce cambios significativos y sustanciales en la sociedad.

La iglesia, es el agente de Dios para cambiar todas las esferas sociales, religiosas, profesionales y políticas de una comunidad.

En el pasado, Dios usó a sus profetas para que, no sólo los israelitas reflexionaran en relación a los desamparados y desprotegidos (p.ej. Isaías 1:17-19), sino para que la iglesia tomara el mismo mensaje. Esto es Palabra de Dios.

El tiempo de la iglesia para actuar

Es por ello que hoy es el tiempo para que la iglesia tome acciones ante el mundo necesitado en que vivimos y no vea la solución al caos humano en el mundo escatológico, adoptando así, una teología errónea. Una teología de esta categoría dejaría a la iglesia sin vocación y misión como lo sugiere también Antonio González:

> *La salvación afecta directamente la praxis [práctica] humana y, por tanto, a su historia; si la historia es praxis, no puede haber dos historias, una secular y otra de salvación. Solamente hay una historia humana, en la que tiene lugar la salvación de Dios... pero esa salvación aunque es histórica, contiene una*

---

[9] Pannenberg, Wolfhart, *Ética y eclesiología* (M. Salamanca: Ediciones Sígueme, 1986), 46.

novedad que no se deriva de las posibilidades mismas de la historia, es la novedad de la gracia libre de Dios actuando en el mundo, es novedad porque abre espacio para la libertad, la justicia y la fraternidad. [10]

Y es en esa esfera que aparece la iglesia, no sólo denunciando el pecado y pronunciándose en contra de la injusticia, sino proclamando las palabras de Isaías:

El Espíritu de Jehová el Señor está sobre mí, porque me ungió Jehová; me ha enviado a predicar buenas nuevas a los abatidos, a vendar a los quebrantados de corazón, a publicar libertad a los cautivos, y a los presos apertura de la cárcel; a proclamar el año de la buena voluntad de Jehová, y el día de venganza del Dios nuestro; a consolar a todos los enlutados; a ordenar que a los afligidos de Sion se les dé gloria en lugar de ceniza, óleo de gozo en lugar de luto, manto de alegría en lugar del espíritu angustiado; y serán llamados árboles de justicia, plantío de Jehová, para gloria suya (Isaías 61:1-3).

El profeta, como mensajero de Dios, se pronunció en contra de la corrupción y la injusticia, pero su mensaje no siempre terminó en caos; al contrario, culminó en bendición, esperanza y buenas nuevas.

En el capítulo siguiente veremos estas mismas enseñanzas proclamadas por los profetas del Antiguo Testamento refrendadas por Jesús y los protagonistas de la iglesia primitiva.

---

[10] González, Reino de Dios e imperio, 86.

CAPÍTULO 3

LA COMPASION DE JESÚS Y LA IGLESIA PRIMITIVA

En este capítulo veremos el proceder de Jesús y la iglesia primitiva en cuanto al tema de la compasión. Descubriremos que Jesús, aunque fundamenta el mandamiento de la compasión en el Antiguo Testamento, le da una mayor dimensión dentro de los nuevos términos del cristianismo. De igual manera, en la iglesia primitiva, el tema de la compasión y la atención a los necesitados era algo cotidiano de importancia mayúscula. No era simplemente un proceder ocasional, sino una teología de aplicación práctica cotidiana.

La compasión de Jesús

En el Nuevo Testamento podemos identificar que Jesús, el Hijo de Dios, endosa la justicia y la compasión por los pobres y los desamparados reflejada en el Antiguo Testamento y aún la acentúa. Cada enseñanza dada por el Maestro refleja los principios del reino y manifiesta los mandamientos de Dios sobre el trato que cada uno debe dar a los marginados de la sociedad.

Mediante el ejemplo de vida de Jesús y de sus enseñanzas, la Iglesia puede aprender a responder misionalmente a los sectores marginados y olvidados de la sociedad, como dice Bryant L. Myers: "El Cristo de Dios era el Cristo de los débiles y los despreciados; [el de los] geográfica y socialmente marginados en Israel."[1] "Es decir, el Cristo de la periferia."[2]

El evangelista Mateo dice acerca del Maestro:

> *Recorría Jesús todas las ciudades y aldeas, enseñando en las sinagogas de ellos, y predicando el evangelio del reino, y sanando toda enfermedad y toda dolencia en el pueblo. Y al ver las multitudes, tuvo compasión de ellas; porque estaban desamparadas y dispersas como ovejas que no tienen pastor (Mateo 9:35-37).*

Es probable que el texto de Mateo 9:35-37 sea uno de los pasajes más completos acerca de la misión de Jesús, ya que refleja su ministerio en su dimensión integral: enseñar, proclamar y sanar. Ello propone la ruta a seguir para identificar las enseñanzas del Maestro sobre el tema de los pobres y desamparados.

Se puede notar que "una gran parte del ministerio de Jesús tuvo lugar en Galilea, al margen de Israel. Su labor se llevó a cabo entre gente común, aquellos que la sociedad había etiquetado como publicanos y pecadores o impuros."[3]

Ahora bien, las enseñanzas de Jesús en relación a los pobres y los desamparados se basan en la percepción de lo que es y lo que sentía Jesús. El diccionario teológico describe la palabra compasión de la siguiente manera:

> *Denota un 'sufrimiento con otro', la compasión puede describirse como un toque piadoso con un interés motivado por amor. Los principales términos de la Escritura son el hebreo «raḥămîm», que tiene relación con 'vientre' y el griego «splanchna», 'entrañas'. Metafóricamente, nos dan la idea de interés por otro con gran sentimiento.* [4]

Ese sentimiento compasivo fue precisamente lo que pasó en Jesús al ver las condiciones espirituales, físicas y sociales del pueblo. Se puede decir que se identificó con las limitaciones que ellos tenían. Pero fue la compasión lo que lo llevó a actuar,

---

[1] Myers, 35.
[2] Ibid.
[3] Ibid., 36.
[4] Harrison, *Diccionario de teología*, 111–112.

por ejemplo, cuando oró a Dios para que enviara obreros a continuar la tarea que Él había iniciado (Mateo 9:37-38).

El relato del evangelista Marcos agrega un elemento clave: "acción", es decir, Jesús no sólo identifica la necesidad y la siente como propia sino que actúa e impulsa a sus discípulos para que ellos actúen también:

> *Pero muchos los vieron ir, y le reconocieron; y muchos fueron allá a pie desde las ciudades, y llegaron antes que ellos, y se juntaron a él. Y salió Jesús y vio una gran multitud, y tuvo compasión de ellos, porque eran como ovejas que no tenían pastor; y comenzó a enseñarles muchas cosas. Cuando ya era muy avanzada la hora, sus discípulos se acercaron a él, diciendo: El lugar es desierto, y la hora ya muy avanzada. Despídelos para que vayan a los campos y aldeas de alrededor, y compren pan, pues no tienen qué comer. Respondiendo él, les dijo: Dadles vosotros de comer (Marcos 6:33-37).*

La compasión en Jesús nunca fue estática, lo motivó a actuar y al mismo tiempo estableció un modelo para sus discípulos.

Aspectos de las enseñanzas de Jesús en relación a los desamparados

Los aspectos más importantes de la misión en las enseñanzas de Jesús sobre la pobreza y los desamparados podemos encontrarlos en el mensaje que expuso en la sinagoga:

> *El Espíritu del Señor está sobre mí. Por cuanto me ha ungido para dar buenas nuevas a los pobres; me ha enviado a sanar a los quebrantados de corazón; a pregonar libertad a los cautivos, y vista a los ciegos, a poner en libertad a los oprimidos,... (Lucas 4:18).*

En este texto podemos observar: por un lado la autoridad y poder de Jesús para hacer la obra de Dios (la unción del Espíritu Santo) y por el otro, la audiencia a la que se orienta su mensaje.

Mateo 22:37-39 capta también el contenido de la enseñanza del Maestro cuando Él dice:

> *Amarás al Señor tu Dios con todo tu corazón, y con toda tu alma, y con toda tu mente. Este es el primero y grande mandamiento. Y*

> *el segundo es semejante: Amarás a tu prójimo como a ti mismo. De estos dos mandamientos depende toda la ley y los profetas (Mateo 22:37-40).*

Es decir, la base de las enseñanzas de Jesús parte del amor al prójimo. De modo que sólo se podrá responder cuando se tenga compasión. La compasión genuina lleva a la acción.

Una de las conductas que Jesús señala como negativas era la indiferencia de los líderes de Israel a velar y atender a los desamparados. El Maestro les señala el problema de su corazón: eran "avaros" (Lucas 16:14). Cuando no hay disposición, aunque se vea la necesidad, no pasa nada. Jesús se pronuncia en contra de la conducta de los escribas, quienes eran escogidos para atender las necesidades de los desamparados; sin embargo, en lugar de eso, se aprovechaban de las personas que debían cuidar. En el caso de las viudas, Jesús les dice que ellos devoraban las casas de las viudas (Lucas 21:47).

Cuando leemos lo que el apóstol Pablo dijo en 2 de Corintios 8:9:

> *Porque ya conocéis la gracia de nuestro Señor Jesucristo, que por amor a vosotros se hizo pobre, siendo rico, para que vosotros con su pobreza fueseis enriquecidos,*

notamos que Jesús adoptó el camino de la identificación y la unión con el que sufre. Eso marca la pauta para el accionar de los discípulos, que eran llamados a ver en los pobres ocasión para servirles (Mateo 26:11). Al leer Mateo 26:9-11; Juan 12:5-8; 13:29 entendemos que los discípulos tenían responsabilidad con los pobres.

En las enseñanzas de Jesús se pone de manifiesto que si alguien quiere seguirle, debe interesarse en los pobres y compartir de lo que tiene con ellos (Lucas 18:22-33). En resumen, a través de los evangelios se puede ver la compasión de Jesús por los excluidos de la sociedad. Ello es evidenciado, por ejemplo, al sanar a un leproso (Mateo 8:1-3), o bien, al visitar la casa de dos hermanas y así romper con las barreras culturales que prohibían a los hombres hablar con las mujeres en público (Lucas 10:38-40).

Su interés en los demás se manifiesta al dejar que una mujer con flujo de sangre lo tocase (Mateo 9:19-22). De igual manera, Jesús tiene compasión con los excluídos de la sociedad cuando emprende un diálogo con una mujer de dudosa reputación y samaritana (Juan 4:1-42). Es así, que Jesús nos invita a no excluir ni discriminar a nadie (Lucas 14:12-14). Jesús libera, trae buenas noticias y sana al oprimido (Lucas 4:16-21).

Las prácticas de Jesús revelan su identidad y sus palabras de enseñanza respaldan lo que Él mismo vivía y lo que debe hacerse por fe. Lo que Jesús enseñó acerca de los desamparados cobra relevancia en la forma de vivir la fe. No se puede separar la compasión de la fe, y ese es el reto de la iglesia local: apreciar, valorar, y activar esos mandamientos de Dios en relación a los desamparados y sufrientes, en la búsqueda de respuestas concretas. Respuestas que reflejen las virtudes del reino de Dios a través de un pueblo escogido y real sacerdocio que lucha en favor de todos.

Una enseñanza de Jesús

En el evangelio de Juan se encuentra la historia de María quebrando un perfume y ungiendo a Jesús. Uno de sus discípulos dijo que el perfume pudo haberse vendido y dado el dinero a los pobres. A lo cual Jesús dijo: "Siempre tendréis a los pobres entre vosotros" (Juan 12:3-5). Es decir, siempre habrá ocasión de activar la responsabilidad por los que necesitan.

Es decir, la práctica de la comunidad de creyentes en atender a los pobres y necesitados reflejaría la teología pastoral de la iglesia, ya que sólo de esa forma ésta se presentaría en equilibrio con lo que es y con lo que predica. Por lo tanto, a la luz de las enseñanzas de Jesús sobre los pobres y desamparados, la iglesia del Nuevo Testamento desarrolló su teología, y el problema que surgió -descrito en Hechos 6–, pone de manifiesto sus prácticas en relación con los necesitados.

Jesús había establecido un patrón de conducta y un ejemplo a seguir: la asistencia a los necesitados estaba relacionada con los privilegios del reino venidero (Mateo 25:31-46). Es en este pasaje de Mateo en el que se señala claramente la asistencia a los pobres y a los necesitados como una expresión de la vida justa, la cual tendrá su recompensa en el futuro.

En este sentido debe tomarse en cuenta que

> *La iglesia es verdadera[mente] [exitosa] sólo en la medida en que cumpla las exigencias del Espíritu y la vida del reino.*[5]

Esto implica que la iglesia asista a los necesitados que están cerca de ella. Pues al ser una proclamadora del reino de Dios, se convierte en un agente activo de la conciliación entre ese reino y la humanidad toda.

El reto ético de ministrar a los necesitados revela la acción común de la iglesia. De esto Milka Rindzinski y Francisco Martínez comentan:

> *La iglesia está llamada a ser una señal veraz que apunte a la dirección de la plenitud de vida. También está llamada a ser un símbolo que represente fielmente, o que encarne en su propio seno, el amor y la sabiduría de Dios. Y está llamada a ser un medio de gracia fructífero, o sea, un instrumento y agente de gracia divina en el mundo.*[6]

Por lo tanto, toda asistencia orientada al sector necesitado de la sociedad debe nacer del compromiso ético que la iglesia ha recibido de Dios y de su propia identidad.

Jesus abre las puertas de un nuevo reino

El Señor Jesucristo enseña a sus discípulos acerca de un nuevo reino, del que ellos apenas si podían sospechar. Con respecto a esto, Milka Rindzinski y Francisco Martínez escriben:

> *El reino de Dios se presenta como una buena noticia por medio de la cual se invita a entrar a los que no tienen nada que ofrecer. Los desplazados de la sociedad son invitados a entrar en el nuevo mundo que Dios crea [ha creado] a partir del mensaje de Jesús.*[7]

---

[5] Ibid.

[6] Rindzinski, Milka, y Martínez, Juan Francisco, eds., *Comunidad y misión desde la periferia* (Buenos Aires: Ediciones Kairós, 2006), 121.

Podemos claramente identificar este nuevo mundo (nuevo reino) creado por Jesús en su respuesta a la pregunta planteada por los discípulos en Hechos capítulo 1: "Entonces los que se habían reunido le preguntaron, diciendo: Señor, ¿restaurarás el reino a Israel en este tiempo?" (Hechos 1:6). La pregunta de los discípulos refleja una mala comprensión de todo el evangelio. Mientras ellos están pensando en términos de gobierno y aspiraciones nacionalistas (posiblemente las mismas que los motivaron a seguir a Jesús en su ministerio),[8] Jesús les responde en términos espirituales:

> *No toca a vosotros saber los tiempos o las sazones, que el Padre puso en su sola potestad; pero recibiréis poder, cuando haya venido sobre vosotros el Espíritu Santo, y me seréis testigos en Jerusalén, en toda Judea, en Samaria, y hasta lo último de la tierra (Hechos 1:7-9).*

Es decir, con la venida del Espíritu se inicia una nueva era y una comunidad que restauraba a la humanidad de su caos espiritual, moral y social. Se puede notar que la venida del Espíritu Santo trae poder para testificar las maravillas de Dios (Hechos 2:11; 4:20).

El Espíritu Santo elimina la exclusividad (o elitismo) en la nueva comunidad de creyentes (Hechos 2:39; Santiago 2:1-4; Gálatas 3:28) y además, también por causa del mismo Espíritu, esta nueva comunidad crea una tendencia a resarcir la necesidad existente entre ellos (Hechos 2:42-45; 4:32-35). Así pues, el mensaje de este nuevo reino creado por Dios en Jesús, dice que existe una responsabilidad de sus integrantes con la sociedad en su conjunto, llámese también —a dicha responsabilidad—, "virtudes éticas del reino".

La iglesia primitiva en acción por los desamparados

Ahora veremos algunos ejemplos que nos explican cómo la iglesia primitiva aplicó las enseñanzas de Jesús en cuanto al trato a los desamparados y los pobres.

---

[7] Berzosa, *Gran diccionario enciclopédico de la Biblia*, 1989.
[8] Padilla y Yamamori, *La iglesia como agente de transformación*, 35.

Uno de estos casos es, evidentemente, el caso de las viudas de Jerusalén (Hechos 6:1).

Los orígenes de la iglesia están marcados por la muerte y resurrección del Señor Jesús. La iglesia se movió en la esfera del Espíritu Santo, que se derramó en Pentecostés, y le ungió para hacer la obra de Dios en la tierra: un don del Cristo resucitado.[9] Los primeros creyentes gozaron del efecto comunitario del Pentecostés. Este fenómeno creó comunidad entre ellos, elemento importante en el desarrollo de la iglesia (Hechos 2:44-47).

Dentro del marco bíblico del Nuevo Testamento podemos sugerir que la comunidad cristiana primitiva estaba constituida por una mayoría de gente pobre, o que la vocación de ser discípulo sugeriría un estatus humilde dentro de la sociedad (1 Corintios 1:26), con la excepción de algunos creyentes con una posición social distinta. De entre ellos podemos mencionar, por ejemplo, a Teófilo (Lucas 1:3), Cornelio (Hechos 10:1) Sergio Paulo, procónsul de Chipre (Hechos 13:7) y Dionisio el areopagita (Hechos 17:34). Igual es el caso de algunos colaboradores del apóstol Pablo tales como Filemón (Filemón 1:2), Bernabé (Hechos 4:36-37), Lidia (Hechos 16:14), Erasto el tesorero de la ciudad (Romanos 16:23) y Crispo, principal de la sinagoga en Corinto (Hechos 18:8), por mencionar algunos.[10]

Lo que Jesús enseñó acerca de los pobres y los desamparados fue (y es) la plataforma en la que descansa la iglesia en cuanto a su teología práctica; y eso podemos entenderlo al ver cómo, en la iglesia primitiva, era una obligación ética traer a la vida diaria las enseñanzas de Jesús. Es decir, la conciencia que la iglesia llegó a tener sobre la pobreza fue aclarándose a la luz de las enseñanzas de Jesucristo. Dichas enseñanzas confrontan los planteamientos culturales sobre la asistencia a los pobres, ya que la iglesia puntualizó la ética correcta sobre la costumbre de ayudar por obligación (Mateo 26:9).

---

[9] Berzosa Ropero, *Gran Diccionario Enciclopédico de la Biblia*, 1220.

[10] El punto cristiano. "La iglesia primitiva y los pobres," http://elpuntocristiano.org/estudios/iglesia-primitiva-pobres/ (Acceso 20 de octubre de 2015).

El concepto de pobreza

Con Jesús, el concepto de pobreza cobra otro significado. Con Él, un pobre ya no es simplemente un marginado de la sociedad, sino un bienaventurado en el reino de Dios (Mateo 5:3).

Acerca de esto Ropero nos dice:

> *En el último periodo de la historia de Israel, principalmente en los tiempos posteriores al exilio, se produce una espiritualización del pobre, según Vaux. El pobre no sería ni una calificación moral ni religiosa, sino tan solo indicaría una relación especial con Yahvé.* [11]
> *La evaluación de este nuevo pensamiento llegó a la conclusión de que el rico era el que oprimía, por lo tanto era el impío y malvado; y, por consiguiente, el pobre y necesitado era amado por Dios (Deuteronomio 10:18; Proverbios 22:22-23).* [12]

La definición de pobre sufre entonces una evolución y las enseñanzas de Jesús tienen verdadera aplicación a la vida práctica en consecuencia; pues las Escrituras son la norma de vida del cristiano, tal lo sugiere Bryant L. Myers:

> *La iglesia es... comunidad hermenéutica, una comunidad de la palabra de Dios y en torno a ella. Los creyentes han de estudiar e interpretar las Escrituras, haciéndolo dentro de una comunidad como una corrección frente al error.* [13]

Con este cambio de pensamiento –que se puede notar en los escritos del Nuevo Testamento–, la narración bíblica de Hechos 6, por ejemplo, ayudará a entender cómo la iglesia practicaba las enseñanzas de Jesús (esencialmente) en relación a la protección de los desamparados; y ellas, –tales enseñanzas –, estaban orientadas a hacer más por la ética bíblica que por la obligación cultural.

El problema planteado allí era la queja de los griegos en relación a una atención descuidada de sus viudas (Hechos 6:1). Ahora, bien, antes de proseguir es legítimo aclarar que el

---

[11] Berzosa Ropero, *Gran diccionario enciclopédico de la Biblia*, 1989.
[12] Ibid.
[13] Myers, 41.

propósito de este libro no es observar la forma en que los apóstoles abordaron el asunto para resolver la situación, es decir, el dicho de, "No es justo que nosotros dejemos la palabra de Dios, para servir las mesas" (Hechos 6:2b); ni tampoco explicar la metodología que ellos utilizaron para elegir a los diáconos (Hechos 6:3). Más bien, nuestro enfoque será la práctica de la iglesia en cuanto a encargarse del sostenimiento de las viudas.

El primer conflicto denota una práctica habitual

Encargarse del sostenimiento de las viudas es, en primer lugar, parte de la identidad de una sociedad del Espíritu. Una sociedad en donde a nadie le falta nada porque todos comparten lo que tienen. Es así que la riqueza de la presencia del Espíritu aleja la pobreza de la comunidad (Hechos 4:32-35).

También, digno es de notarse, que el crecimiento de la iglesia trajo consigo su primer conflicto dentro de la comunidad de creyentes (Hechos 6:1). De ello, y a fin de conocer el contexto del que surgió esta población de griegos, Raúl Caballero Yoccou comenta:

> *La iglesia de Jerusalén comenzó a integrar cristianos de varios trasfondos culturales. Dos eran los grupos que sobresalían: los hebreos de origen griego nacidos en la dispersión (territorios conquistados por Alejandro del Imperio Griego) y los hebreos nacidos en Palestina, que hablaban aramaico. Las diferencias mayores no radicaban en el idioma sino en las costumbres. Los judíos nacidos en Palestina tenían poco alcance, escasa cultura y una manera restringida de ver las cosas. Los judíos o prosélitos nacidos en otras tierras habían tenido refinamiento, arte, y habían visto y disfrutado los beneficios de la cultura griega. De modo que esos judíos no solamente hablaban griego, sino que se conducían como tales. Los judíos de Palestina se preciaban de ser más ortodoxos.* [14]

La interacción entre estos dos grupos debió hacer sido compleja. Como es lógico, los recursos no eran abundantes y

---

[14] Caballero Yoccou, Raúl, *Comentario bíblico del continente nuevo* (Miami: Editorial Unilit, 1992), 152.

además, el grupo mayoritario de discípulos hebreos palestinos mantenía el liderato.[15] Sin embargo, aunque surgió de pronto un problema, lo que podemos destacar en este análisis es la práctica de la iglesia primitiva en atender a los necesitados. Los miembros de la iglesia cuyo trasfondo era judío (de Palestina) tenían ya costumbres y prácticas de compasión para atender a los necesitados que vivían entre ellos. Como lo dice William Barclay:

> *En la sinagoga se tenía la costumbre de que dos miembros se daban una vuelta por el mercado y por las casas particulares los viernes por la mañana y hacían una colecta en dinero y en especie, y por la tarde se la llevaban a los necesitados. Los que se encontraban temporalmente en necesidad recibían lo suficiente para ir avanzando; y los que no podían mantenerse recibían lo suficiente para catorce comidas, es decir, dos diarias durante toda la semana. El fondo para esta distribución se llamaba «kuppah» o cesta; y además se hacía otra colecta diariamente de casa en casa para los que estaban en necesidad perentoria, y a esta la llamaban «tamhui» o bandeja.* [16]

La iglesia tenía la costumbre permanente de mostrar responsabilidad con las viudas y en cuanto a esto, Richard D. Balge comenta:

> *Los judíos de Jerusalén habían desarrollado un sistema de distribución de dinero para el sustento de las viudas, especialmente las que venían de otras tierras. La comunidad cristiana había hecho arreglos semejantes, con base en las donaciones de personas como Bernabé.* [17]

La iglesia naciente debería conciliar las costumbres con las enseñanzas de Jesús. "La iglesia primitiva consideró desde el principio, como uno de sus deberes más sagrados, el socorrer a sus miembros sin recursos y ayudar así mismo, en la medida de lo posible, a los pobres que no pertenecían a ella" (Hechos

---

[15] Ibid.

[16] Barclay, Comentario al Nuevo Testamento, 513.

[17] Balge, Richard D., *Hechos*, eds. Armin J. Panning, G. Jerome Albrecht, y Roland Cap Ehlke, Milwaukee, WI: Editorial Northwestern, 1999, 68.

2:45; 4:32; 6:1-6; 11:27-30; 24:17; 1 Corintios 16:1-3; Gálatas 2:10; 1 Tesalonicenses 3:6).[18]

La verdadera religión

En Santiago 1:27 leemos lo siguiente:

> *La religión pura y sin mácula delante de Dios el Padre es esta: Visitar a los huérfanos y a las viudas en sus tribulaciones, y guardarse sin mancha del mundo.*

Los nuevos creyentes deberían estar en capacidad de identificar las necesidades de los más desfavorecidos (Hechos 6:1), porque

> *...los pobres son el objeto de la solicitud del amor salvífico de Dios, no porque sean mejores moralmente, sino por su particular situación de abandono y desamparo social y religioso que los convierte en fácil presa de injustos y opresores, así como de su propia imagen de fracaso y olvidados de Dios.* [19]

> *Por lo tanto, Santiago le recuerda a la comunidad de creyentes la responsabilidad de la nueva comunidad, la preocupación social y la conducta santa con el cuerpo, del cual el Cristo interior es el Alma viviente.* [20]

Lo que se intenta establecer es un punto de reflexión, pues, para el creyente miembro de la nueva comunidad del Espíritu, no es opcional asistir al que está necesitado entre ellos sino es un deber ético y moral.

Es por ello que Santiago exhorta a los que sólo ven la necesidad pero no actúan (Santiago 2:16). Esa actitud sólo puede ser resultado de la discriminación, de hacer excepción de personas debido a su estado social (Santiago 2:9). Tal actitud conduce a la exhortación de Santiago hacia una comunidad que ha perdido la sensibilidad humana por el que sufre (Santiago 2:6).

---

[18] Berzosa, *Gran diccionario enciclopédico de la Biblia*, 1990.

[19] Ropero, 1989.

[20] Harper, A. F., «*La Epístola general de Santiago*», en *Comentario bíblico Beacon: Hebreos hasta Apocalipsis (Tomo 10)* (Lenexa, KS: Casa Nazarena de Publicaciones, 2010), 210.

Santiago explica:

> *Hermanos míos amados, oíd: ¿No ha elegido Dios a los pobres de este mundo, para que sean ricos en la fe y herederos del reino que a prometido a los que le ama? (Santiago 2:5).*

Este fundamento insta a seguir un camino de conducta: lo verdadero y justo delante de Dios (Santiago 1:27). Consecuentemente, la religión verdadera es aquella que se entiende en los siguientes términos:

La palabra que se traduce por *religión* es «*thrêskeía*», que quiere decir más bien *el culto* en el sentido de la expresión externa de la religión en el ritual, la liturgia y la ceremonia. Lo que quiere decir Santiago es: "El ritual más apropiado y la liturgia más elevada que se le pueden ofrecer a Dios son el servicio a los pobres y la pureza personal".[21]

Ante dicha definición podemos concluir que a los ojos de Dios una liturgia acertada va acompañada de sensibilidad por el que sufre y tiene necesidad; y que siempre y cuando las acciones de los creyentes vayan acompañadas de este principio podrán decir que son una comunidad creada por el Espíritu en el nuevo mundo de Dios.

---

[21] Barclay, *Comentario al Nuevo Testamento*, 949.

PARTE 2

EJEMPLOS DE LA TEOLOGÍA DE LA COMPASIÓN EN LA BIBLIA

En esta parte estaremos dando una revista analítica y creativa a algunos ejemplos bíblicos que nos ayudan a comprender mejor el trato de Dios con los desprotegidos y despreciados de la tierra. En tales relatos vemos la compasión de Dios mostrada a través de sus siervos o agentes, y tales relatos traen a nosotros una multitud sorprendente de enseñanzas.

El examen hecho con cuidado y diligencia que haremos de estos pasajes bíblicos confirma todo lo que hemos venido estudiando en este libro y fijará en nuestra mente la veracidad práctica de ello.

CAPÍTULO 4

LA INJUSTICIA SOCIAL

Vemos en los siguientes relatos cómo el Dios de la Biblia socorre sorprendentemente a aquellos que han sido objeto de injusticia social. La injusticia social es una realidad vivida por millones de personas a través de la historia y que aun en nuestros días es perpetuada en diversos círculos, regiones y hasta países enteros de la tierra. La iglesia ha sido puesta por Dios para combatir esta injusticia y mostrar así la compasión de Dios.

Dios acompaña a Agar

La narración de la vida de Agar, cuyo nombre significa errante,[1] despierta naturalmente el interés en cuanto a temas complejos como la esclavitud, el servicio y la angustia. Al mismo tiempo, esta historia muestra lo complejo de una cultura patriarcal y expone el lugar de la mujer en una sociedad antigua. Queda así en evidencia la privación de derechos de las mujeres en esa cultura señalada y además le pone rostro y nombre a una mujer esclava, sin voz, y sin derecho; quien además es despreciada y desechada: su nombre es Agar.

[1] Ropero Berzosa, Alfonso, *Gran diccionario enciclopédico de la Biblia.* (Barcelona: CLIE, 2013), 58.

El relato de Agar, la esclava que se convirtió en mujer de su amo y madre de su hijo, se podría parecer a una historia de alguien que ha pasado de la pobreza a la riqueza y del anonimato a la gloria de un día a otro, pero tristemente no es así.[2] Más bien, se trata de una dramática historia que tenía como destino un desenlace muy trágico. Un desenlace que sólo el Dios de la justicia y la compasión pudo cambiar.

Dentro del relato principal del gran patriarca, existe otra historia previa. Es una historia que ni es lejana ni ajena al entendimiento pleno del relato de Agar. Hablamos de la historia del patriarca llendo hacia Egipto ante la crisis de la carencia de alimentos. Abraham tuvo que descender a Egipto para garantizar la supervivencia tanto de él como de los suyos (Génesis 13:1-13). Al leer el pasaje de Génesis 13 empezamos a encontrar grietas en el carácter moral de Abraham, tal lo declara Samuel Pagán:

> *La fidelidad de Abraham no le hace una persona sin defectos ni conflictos personales. El propósito de las narraciones patriarcales no es enfatizar las virtudes éticas de sus personajes ni subrayar la perfección moral de sus protagonistas. En varias ocasiones el famoso patriarca trató de evadir sus responsabilidades y salvar su vida mintiendo en torno a si Sara era su esposa o su hermana (Génesis 12:20). Posteriormente, toma a su esclava por mujer para tener un hijo, pues impaciente pensaba que la promesa divina no se materializaría (Génesis 16).* [3]

Es en esta historia, la del descenso de Abraham a Egipto, en donde podemos entender comienza la vida de la protagonista de la narración del capítulo 16 en relación a Abraham y Sara. Agar fue una jovencita como otras, con sueños e ilusiones, que pensaba sobre su futuro e imaginaba las cosas que haría en su vida. Sin embargo, su vida da un giro drástico: se convierte en objeto del intercambio de regalos y presentes para un individuo que había actuado inadecuadamente, engañando al Faraón.

---

[2] Vander Velde, Frances, *Mujeres de la Biblia.* (Grand Rapids: Editorial Portavoz, 1990), 38.

[3] Pagán, Samuel, *Introducción a la Biblia hebrea.* (Barcelona: CLIE, 2012), 161.

Aquí se puede notar que en la sociedad siempre existen víctimas y victimarios. En un lado del escenario está Agar y por el otro Abraham, quien recibe a la joven como regalo; y es realmente lamentable que en aquella sociedad esta costumbre fuera permitida y válida.

Ahora bien, ante esta circunstancia es perfectamente válido preguntar: ¿Quién responderá por los individuos que no tienen voz? ¿Quién alzará la mano en favor de aquellos que no tienen derecho? Por consiguiente, una teología que pretenda representar al sector de la sociedad que no tiene voz ni derecho, tiene que ser aquella que entiende de primera mano los sufrimientos de esas personas, y que tiene la capacidad de escuchar y darle a esa voz sonido para que no pase inadvertida. El clamor de los que sufren debe ser escuchado.

Dios nos enseña la teología de compasión

Se inicia un capítulo nuevo en la vida de Agar, de esclava pasa a señora, de soltera a madre, pero no sin pagar un alto precio: el desprecio de su ama (Génesis 16:6). Qué terrible injusticia; ni aun el hijo que lleva en el vientre cambia su condición de esclava. Ni aun este hecho tan importante le permite ser escuchada dentro de una sociedad que no vive sino para satisfacer sus necesidades egoístas.

¿Qué nos empieza a mostrar esta historia? La iglesia tiene frente a sí una gran oportunidad de movilización entre los más desprotegidos. Ellos necesitan recibir un mensaje de dignidad, amor e igualdad ante el Dios de la justicia.

Cuando la teología se enfoca en el individuo —no como un número sino como persona— entonces estará construyendo un fundamento para que la sociedad tenga un encuentro con su Creador y exclame como lo hizo Agar: "Tú eres el Dios que ve" (Génesis 16:13b).

Responder al llanto del desprotegido es estar viviendo en el reino de Dios y mantener activa la misión. Es pertinente enfatizar que una de las primeras necesidades humanas que la teología de la compasión debe abordar no siempre es la física. Se trata, no tan sólo de llenar el estómago de un individuo, sino ayudarle a que éste tenga un sentido de espacio, un nombre y la debida dignidad. Al decir a nuestro prójimo que él o ella es tan digno como lo es uno mismo, le estamos empoderando para vivir una vida mejor.

Ahora bien, en el desenlace de la problemática abordada por Agar tenemos la acción de Dios a favor de los desamparados.

Observamos al Dios creador del hombre como uno preocupado por su creación, que tiene consideración por las personas que no tienen voz ni derecho. Un Dios que les ama, les auxilia oportunamente, y da sentido a los que viven sin sentido. Dios da color a la existencia de ellos.

El Dios que acude en auxilio de Agar pasa por alto varios detalles acerca de ella. No era hebrea, era mujer y, además, era una esclava egipcia que quedó sin la protección de su amo terrenal. Una mujer con hijo -hecho ya adolescente- al que no puede sustentar (Génesis 21:8-19). Una teología que se ocupe de simplemente apagar las voces de la conciencia misional no es bíblica. Eso fue lo que hizo Abraham al proveer lo propio para la supervivencia de madre e hijo por sólo unos días en un desierto hostil (Génesis 21:14).

No era la poca provisión lo que mas dolor causaba a ambos, sino el desgarre moral producto del desecho y abandono. Sin embargo, el Dios de amor nos enseña de qué trata realmente la teología de la compasión hacia el desprotegido. Esta teología ve la persona, no la etiqueta que la sociedad le ha puesto. Ve su angustia, no su raza; ve su llanto, no su género.

Si la iglesia quiere desarrollar una teología que responda adecuadamente tiene que hacer un autoanálisis. Asimismo, necesitará eliminar los prejuicios, activar la misericordia por el que sufre y vivir el reino de Dios en su sociedad. Ello no como un ideal filosófico, sino como una práctica de vida.

Los elementos de la teología de compasión

Una teología de compasión no sólo "ve", sino también "escucha" y "habla". El texto bíblico nos dice:

> *Y oyó Dios la voz del muchacho; y el ángel de Dios llamó a*

Agar desde el cielo, y le dijo: ¿Qué tienes, Agar? No temas; porque Dios ha oído la voz del muchacho en donde está (Génesis 21:17).

Una teología para los desamparados siempre estará impregnada con los elementos éticos de la solidaridad con el pobre y el que pasa angustia. Es decir, para ser misionales dentro de la comunidad se requiere la capacidad de escuchar, hablar y caminar con el pueblo que sufre.

Se puede inferir que Agar es un ejemplo de los que confiesan a Dios, ya que mantuvo viva la fe y la esperanza del Dios que había confesado (Génesis 16:13b).

Es por esto que podemos decir que Agar fue una madre de fe. Cuando el patriarca muere (Génesis 25:9), tanto Isaac como Ismael —hijos de Abraham— estuvieron presentes en su sepultura. Este cuadro sugiere que Agar alimentó la fe de su hijo Ismael, y esta fe fue la que ellos mantuvieron al vivir en el desierto.

La presencia de Ismael en el entierro de Abraham su padre, nos permite deducir que Agar dio una educación de fe a su hijo y mantuvo vivo el recuerdo de Abraham entre ellos, aunque éste les hubo expulsado. Las madres solteras del tipo de Agar no sólo sufren, claman y lloran para que alguien les escuche; también tienen valores dignos y humanos que la sociedad necesita.

Para desarrollar una teología que responda a ese segmento de personas, necesario es tomar en cuenta la dignidad intrínseca de cada ser humano.

El llamado de Dios para la iglesia que quiere responder con misericordia a lo que ve y escucha es producto del verdadero evangelio, el que no sólo piensa y señala sino que actúa y acompaña, tal como lo sugiere Tin Chester:

Cuando caminar junto a los pobres se convierte en el propósito de las vidas en obediencia a Cristo; cuando la compasión por el necesitado y los sentimientos de santa indignación embargan a los seres humanos como nosotros, que somos creados a la imagen de Dios, ante los que tienen que sobrevivir bajo condiciones

> *humillantes, comenzamos a preguntarnos cómo podrían las palabras de Jesús hacerse realidad entre los pobres de nuestra época.* [4]

La historia de Agar, sin embargo, no debe olvidarse; ella se repite en el diario vivir de las comunidades donde la iglesia ministra, como lo dice Xabier Pikaza:

> *Hay madres que como Agar no tienen otro recurso que el llanto mostrándose así como signo de millones de mujeres abandonadas, expulsadas, que apenas tienen fuerzas para cuidar a sus hijos y que sin embargo lo hacen.* [5]

Siempre hay alguien que no tiene voz, cuyos derechos no son reconocidos y que claman por ser escuchados. Es aquí donde la tarea misional de la iglesia cobra mucho sentido. Dios invita a la iglesia a la acción. Dios quiere que sus hijos muestren amor y ayuden en la consolidación del que sufre, clama y llora. Si hay una iglesia que quiera escuchar y servir, debe hacerlo viendo a Dios como ese modelo de acción en rescate por todos aquellos que en nuestro mundo están en sufrimiento.

La viuda de Sarepta – "objeto" o "sujeto" de la misión

La narración de la historia de esta mujer, cuyo nombre se desconoce, no así su estado civil y su nacionalidad —"viuda" y de "Sidón"—, se encuentra en 1 Reyes 17:8-24.

Esta historia es otro ejemplo de aquellas que en la Biblia nos ayudan a comprender la teología de la compasión, indispensable para establecer ministerios misionales que se concentran en las personas para dignificarles. En este sentido la narración permite ver varios aspectos que sobresalen.

En primer lugar, es imprescindible mencionar que la iniciativa de incluir la historia de esta viuda en el Texto Sagrado la toma Dios mismo, quien le ordena al profeta Elías ir a ella (1

---

[4] Tin Chester, ed. *Justicia, misericordia y humildad* (Buenos Aires: Ediciones Kairós, 2008), 116.

[5] Pikaza, *Mujeres de la biblia Judia*, 49.

Reyes 17:9). De esto podemos extractar que uno de los errores que se podría cometer al establecer iglesias misionales que respondan a las necesidades observadas en la comunidad, es mirar a las personas como el objeto de la misión, y no como *sujetos* en la misión.[6]

El "objeto" no tiene nombre, no se le pregunta, no participa en la búsqueda de las estrategias, no se le permite ser protagonista de su propia historia, se da por sentado que no tiene nada que ofrecer. A este respecto, Sherron Kay George dice:

> *Puesto que todos los seres humanos son creados a la imagen de Dios, son sujetos activos, no objetos pasivos.* [7]

En este sentido, la iglesia es retada, desafiada y animada a ver más allá de los códigos litúrgicos que la religión pudiera poner como un sentido de paternalismo.[8] Eso es porque la manera de tratar a las personas como objetos en la misión es algo muy sutil. Cuando las personas o las comunidades se tratan con sentimientos compasivos, de hecho se tratan como objetos de la misión, y si ese fuere el caso, no ocurre un intercambio de dones.[9]

Si la iniciativa de hacer que el profeta vaya con la viuda la toma Dios, de alguna forma se da un mensaje claro en cuanto a la formación del profeta, como lo comenta Daniel Carro:

> *Ahora Elías, siempre bajo la dirección de Dios, se sale de los límites de Israel para ser alimentado por una mujer gentil (Lucas 4:25, 26). Las viudas eran la clase social más humilde y necesitada, y por quienes Dios siempre ha tenido una gran preocupación (Éxodo 22:22; Isaías 1:17). El que el profeta haya tenido que depender de una mujer extranjera para su sustento va en contra de todo sentimiento y costumbre de los hebreos.* [10]

Para que Elías desarrollara la misión se requería que rompiera con las barreras sociales y prejuicios de su tiempo. Una

---

[6] Sherron, 50.
[7] Ibid., 51.
[8] Ibid.
[9] Ibid.
[10] Daniel Carro et al., *Comentario bíblico mundo hispano, 1 Reyes, 2 Reyes y 2 Crónicas*. (El Paso: Editorial Mundo Hispano, 1993), 132.

teología de compasión va más allá de la cultura, puesto que ve la posibilidad de traer significación a las personas, requisito importante para ser misional. En definitiva, la tarea misional es hacer la diferencia en las personas y en las comunidades.

En estos textos se observa que el profeta le pide algo a la viuda:

> *Te ruego que traigas un poco de agua y un vaso, para que beba (1 Reyes 17:10c).*

Aquí, en esta pequeña petición, se marca el futuro de la narración; se determina, la perspectiva del profeta sobre la mujer, la obediencia de la mujer y el resultado futuro de su acción de compartir los pocos recursos que le quedan (1 Reyes 17:15-16).

La transición que se ve en la historia de la escasez a la provisión y de la provisión a la tristeza por la muerte del hijo deja clara la razón por la que el profeta llega a esta región (1 Reyes 17:17-24). El escenario de la viuda era deprimente, apenas le quedaba un poco de harina, aceite y dos palos para cocinarlos y después dejarse morir. Parece que en la casa de la viuda había un patrón: "todo estaba muriendo".

Vio morir a su esposo, vio morir los recursos materiales de su sustento básico y estaba preparándose para morir ella. Una teología de compasión requiere ir a las comunidades que están viendo cómo mueren sus esperanzas, cómo matan a sus hijos a consecuencia de la guerra entre pandillas. Las esperanzas se secan, no llueven recursos en las comunidades pobres y marcadas por la pobreza y la injusticia, una vez más se escucha la voz de Dios y habla a la iglesia para que pueda ir y llevar el mensaje de paz, amor y esperanza que ha recibido.

La tarea de la teología de compasión es cuando ha reflexionado sobre el mensaje que ha recibido y la iglesia está dispuesta a compartir la interpretación práctica de ese mensaje en las comunidades tipo Sidón de la actualidad.

Así como el profeta es el instrumento de Dios para ayudar con las terribles pérdidas de la viuda —su esposo, sus recursos básicos y hasta su hijo—, la iglesia está llamada a responder misionalmente en la comunidad que ministra. Ahora bien, tomando en cuenta la forma en que está tejida la historia de esta madre viuda, se pueden encontrar algunas pautas en cuanto a cómo hacer acercamientos misionales. Cada comunidad o persona tiene en algún sentido, recursos, valor o virtud que aportar a la misión. Cada individuo está en la capacidad de intervenir en su propia historia, tiene la capacidad de hacerse preguntas y buscar las respuestas significativas que aporten a la solución de conflictos en sus comunidades.

El profeta va con esta mujer siguiendo la instrucción bíblica. Dios le dijo:

> *Levántate, vete a Sarepta de Sidón, y mora allí; he aquí yo he dado orden a una mujer viuda allí que te sustente (1 Reyes 17:9).*

Es decir, Elías es el profeta, el que tiene el llamado; pero la viuda es el instrumento que Dios prepara para alimentar al hombre de Dios. Con semejante cuadro como inicio de la narración, sería oportuno pensar que cada comunidad en sí misma tiene algo significativo; no sólo puntos de muerte sino de vida, en los que se reflejan sus luchas, sus intentos por mantener la esperanza de un mejor mañana. Esa viuda tenía agua y un vaso para compartir. Era poco, limitado, pero suficiente para compartirlo. El deber de la iglesia cuando llega a una comunidad es verla con ojos de redención, pero también estar lista para ver los recursos que ya existen en las comunidades, los ministerios que ya están en la ciudad trabajando y unirse al proyecto de Dios por el bienestar de la comunidad. Como lo declara Mark R. Gornik:

> *Community change always involves the construction and identification of a new journey.* [11]

Si se va a una ciudad determinada con la premisa de que no hay nada bueno en ella, eso pondrá a la iglesia en una posición errada por la razón de que ella en sí misma no es la solución para una comunidad, ni es el puente para llevar a esa comunidad a Dios, el cual sí es la solución.

---

[11] Mark R. Gornik. To Live in Peace, 32. [Traducido del inglés por el autor].

Por esto, la iglesia está invitada a ir a las comunidades llenas de estereotipos. Sin embargo, al ir la iglesia es liberada, guiada con una visión nueva y fresca hacia el mundo y el cumplimiento de su misión y de su vocación, con lo cual recibe, aprende y comparte a Jesús.

La compasión de Dios con los olvidados: el caso de Mefi-boset

La compasión de Dios se muestra con los desprotegidos de la tierra. Con aquellos que algún infortunio les ha tocado. Aquellos que carecen de los más elementales ingredientes para la felicidad humana y aquellos que durante toda su vida han abrazado un sueño incumplido.

No todos los sueños que un ser humano tendrá, evidentemente, serán algo avalado por el Señor y no todos están dentro de sus designios. Pero el caso de Mefi-boset es un ejemplo de la reivindicación de Dios; de que Él no se olvida de los pactos que alguna vez hizo en cuanto a su bendición. Es también un ejemplo de la teología de compasión, en donde Dios usa a la iglesia, en su labor misional, para brindar auxilio al desvalido.

En 2 de Samuel 9:1-13 tenemos registrada la historia de este hombre. Y está registrada en las Escrituras para que todos nosotros entendamos que existen personas desprotegidas a las que la iglesia debe brindar esperanza y apoyo, para que apliquemos, como iglesia, nuestro mandato misional.

La tendencia del ser humano siempre será a recordar el pasado negativo y a encontrar razones por los momentos difíciles que atraviesa, pero el caso de Mefi-boset nos muestra el corazón de Dios. Nos muestra que aun y que alguien se encuentre en el pozo más profundo y ruin, Dios puede sacarle de allí. Por lo tanto, siempre necesitamos recordar que mientras el pecado y el entorno que nos rodea quieren anular la fe y la esperanza, Dios nos descubre la belleza de su corazón mediante la acción misional de la iglesia.

Este pasaje también es un ejemplo para la iglesia en el sentido de que, tal como David, quien Dios "tomó de las majadas de las ovejas" (Salmos 78:70), ella es responsable de traer a la mesa del Rey a aquellos que sufren y necesitan de la compasión del Señor.

LO QUE NO NOS ENSEÑA LA HISTORIA DE MEFI-BOSET

Esta historia no es para que mostremos auto-compasión de nosotros mismos, ni para que lamentemos nuestra propia situación. Mucha gente que se encuentra en sufrimiento, en lugar de creer en el poder del evangelio, decide quejarse constantemente de su estado y no son capaces de ver a otros que están en peores circunstancias. Sin embargo, la iglesia del Señor es aquella que rescata de su "Lo-Devar" al que sufre. La iglesia acude para dar una palabra de esperanza y para tender la mano al necesitado y así aplicar la teología de la compasión.

La iglesia misional es aquella que entiende el dicho del Señor cuando dijo "más bienaventurado es dar que recibir" (Hechos 20:35). Ella entiende que hay gente afuera que necesita del amor de Dios.

¿QUIÉN ERA MEFI-BOSET?

La Biblia registra la vida de David con un propósito muy importante. David fue un hombre conforme al corazón de Dios, que en el nombre de Jehová de los Ejércitos hizo grandes proezas, y cuya vida ha traído tanta bendición y enseñanza para todas las generaciones que le siguieron hasta nosotros; y continuará hasta el fin de los tiempos.

Pues bien, David tuvo un amigo íntimo. Este amigo íntimo era un príncipe, el hijo del rey de Israel y heredero al trono. Sin embargo, este príncipe sabio entendió que no sería él quien reinaría. Pese a toda la lógica humana, Jonatán -pues así se llamaba- sabía que Dios había ungido a David, y éste era el hombre que Dios quería que ocupara el trono en lugar de su padre.

El tiempo se cumplió y una tragedia embargó la familia de Saúl. Un día triste en la historia para la familia del rey Saúl y en particular para Mefi-boset, su nieto.

Mefi-boset, el hijo de Jonatán, un niño que nació totalmente normal, pero que la combinación entre la tragedia, la imprudencia y el infortunio, le había dejado lisiado. Aquel día murieron en batalla su padre y su abuelo juntamente, y él, nos dice la Biblia en 2 Samuel 4:4, que teniendo tan solo cinco años de edad, al ser llevado deprisa por su nodriza en su intento por escapar de la muerte, accidentalmente ésta le dejó caer dejándole cojo de por vida.

LAS CONDICIONES QUE MEFI-BOSET TENÍA COMO DESVENTAJAS

La vida muchas veces es ejemplificada como una carrera en la que existen muchos que se esfuerzan en correr. Si bien muchas veces los que nacen con todo para ganar, no logran llegar a la meta, ¿qué se espera de los que están en desventaja? Veamos algunas de las desventajas que Mefi-boset tuvo en su vida.

Su condición física: la primera y más evidente desventaja de Mefi-boset era su condición física. En aquel tiempo no podemos siquiera imaginar lo terrible que significaba estar imposibilitado para el trabajo y para ir a la guerra. Los pueblos de la antigüedad tenían como sublime la gloria militar; y la dicha del trabajo físico para mantener su propia familia, era su más grande recompensa en la vida. Aunque en muy pocos casos existía trabajo administrativo y de negocios, la mayor parte del trabajo disponible en ese entonces para un hombre, era el trabajo físico. Por tanto, un hombre imposibilitado para hacer el trabajo físico era considerado socialmente un estorbo.

Su nombre: el nombre "Mefi-boset" significa, "el que esparce la vergüenza". El nombre de una persona en la Biblia tiene una profunda trascendencia. Es un estigma, una señal de algo bueno o malo, positivo o negativo. Mientras David significa, "el amado", Nabal significa "insensato", etc. Por lo tanto, el nombre de Mefi-boset era aquel que esparce vergüenza, aquello que es contrario a la honra. Cada vez que era mencionado su nombre sería recordado el día de la tragedia.

Era descendiente de un rey muerto: aunque Jonatán todavía no era rey, era considerado el rey venidero, el heredero al trono. Las costumbres de aquel entonces marcaban como un niño-rey que habría de vivir en la tragedia, aquel cuyo padre había muerto a su temprana edad. Mefi-boset era un huérfano de padre desde los cinco años. Vivió sin un padre y esta era ya en sí una condición terrible.

Su condición emocional: Mefi-boset había crecido en un ambiente tal, que no le ayudó en lo absoluto a mejorar su condición emocional. Pudiera existir, para el caso de niños que hayan nacido en situaciones de desventaja, una familia cálida que les ayudara a crear en ellos una mejor autoestima. Sin embargo, todo parece indicar que este no era el caso de Mefi-boset. El versículo 8 de este pasaje (2 Samuel 9:8) lo dice todo. Él dice: "¿Quién es este tu siervo, para que mires a un perro muerto como yo?" Mefi-boset se consideraba a sí mismo "un perro muerto". Mefi-boset se tuvo que conformar con el nombre de la ignominia, esto le sobajaba emocionalmente, y nunca tuvo a alguien cerca que le ayudara a subir su auto-estima dañada.

Su lugar de residencia: el lugar en donde reside una persona, desde siempre y en prácticamente todas las sociedades, ha significado una señal de estatus social y económico. No era Israel la excepción. Lo-Debar, el lugar en donde residía Mefi-boset, era reservado para los lisiados y avergonzados. No era el lugar en donde viviría un rey o un hijo del rey. En vez del palacio, en donde le correspondería estar si la tragedia no le hubiese visitado, tuvo que conformarse con vivir en Lo-Devar. Lo-Devar significa "sin pastos" o "sin palabras" o "sin comunicación". Es decir, el lugar perfecto para los olvidados.

Estas cinco circunstancias eran el marco situacional del hijo de un príncipe, el príncipe hijo de Jonatán.

La promesa pronunciada de un verdadero rey

Los mejores hombres y mujeres que han pisado esta tierra son aquellos que muestran bondad, que son generosos en sus promesas, y que nunca, aún y que pase el tiempo y nadie les presione, dejan de cumplirlas.

David era el ungido del Señor, un hombre conforme al corazón de Dios que quería parecerse a Dios en todo.

Un hijo se parece a su padre, por esto nos dice Jesús: "Sed, pues vosotros perfectos, como vuestro Padre que está en los cielos es perfecto" (Mateo 5:48). También Pablo nos dice: "Sed, pues, imitadores de Dios como hijos amados".

David había hecho una promesa a Jonatán. Ahora él era el rey y Jonatán estaba muerto, por lo que bien podría haber hecho caso omiso de la promesa que había hecho en secreto a un solo hombre, quien ahora estaba muerto. Pero David era un verdadero hombre de Dios y él sabía que su promesa la había hecho estando Dios mismo como testigo. Él sabía quién era.

David sabía quién era

David trae a la memoria el pacto que había hecho con Jonatán tiempo atrás. Y esto nos enseña qué tan fácil es para algunos librarse de las promesas cuando las condiciones cambian. Ahora el viento soplaba a favor de David y él podría haber pensado no tener realmente ningún compromiso con nadie. Sin embargo, él había dado su palabra y eso era para él algo muy importante. Muchas veces para algunos resulta muy fácil hacer una promesa, e igual de sencillo es no cumplirla. No obstante, para David, un hombre conforme al corazón de Dios, no cumplir su palabra era algo gravísimo. Él sabía quién era y no podía fallar a su identidad.

La diferencia está en nuestra identidad

Podemos detenernos por un momento y preguntarnos, ¿Cómo sería la vida en un día normal para este joven? Sus días transcurrían en Lo-Devar y seguro estaban marcados por el recuerdo de aquellos malos momentos. De las injusticias constantes que había sufrido, de aquellos maltratos que le habían herido.

Sus días muy posiblemente trascurrían en medio de lamentaciones y estaban llenas de temores. Vivir en Lo-Devar, era vivir en "la tierra del nunca jamás" en cuanto a sus sueños y ambiciones; todas sus ilusiones estaban deshechas y sus anhelos tirados por el caño.

Al ver a los demás niños de su edad, Mefi-boset se podría preguntar, ¿por qué no soy yo como ellos? ¿Por qué no puedo correr, brincar o simplemente caminar?

Ahora bien, ser hijo de Jonatán, es decir, de la descendencia de Saúl, podría traerle temores adicionales, ¿qué si de pronto se topara con uno de los enemigos de sus padres, leales a David? ¿Qué haría en su condición de indefenso?

Mefi-boset se podría sentir un hombre atado y sin capacidades mayores a las de la mera subsistencia humana. Este es precisamente el caso de muchos que están a nuestro alrededor en donde la iglesia puede actuar. Estas personas son simplemente oportunidades para que la iglesia ponga en práctica su carácter misional.

David hizo la diferencia en la vida de Mefi-boset

En una ocasión una maestra de escuela primaria, en una ceremonia de graduación, dio tres listones a los graduados que decían "tú has hecho la diferencia en mi vida". Luego les invitó a que ellos honraran a otros dos de sus compañeros. Los resultados fueron sorprendentes.

Todavía hay personas que hacen la diferencia en la vida de otros y que los sacan de sus cárceles. Éstos son los miembros de una iglesia misional que muestran la compasión de Dios. La vida de una persona puede cambiar radicalmente en consecuencia a haber conocido a "un David" que haya cambiado su vida. Aquí David es tipo de Cristo mismo, quien nos ha hecho cambiar de vida a todos aquellos que hemos acudido a Él. Sin embargo, también David es tipo de la iglesia, quien aplicando la teología de la compasión va en búsqueda de aquellos que la vida les ha dejado cojos. De aquellos que viven la marginación y son producto constante de injusticias.

David le hizo cambiar de residencia, ya no viviría en Lo-Devar, sino en el palacio del rey. Ya no comería de cualquier cosa que le dieran en aquel humilde lugar en que vivía, sino que ahora, ¡comería a la mesa del rey! David le había invitado a comer a su mesa todos los días. De un momento a otro y en un sólo día, Mefi-boset pasó de ser un hombre sin derechos a uno con derechos; de un hombre sin herencia a uno con herencia.

De igual manera, Dios nos invita a comer a su mesa todos los días (ver Apocalipsis 3:20), nos ha dado herencia y ha roto el circulo de nuestras lamentaciones. Nuestro Dios nos ha dado el mejor panorama y un futuro maravilloso. Si Él lo hizo con nosotros es tiempo de que nosotros lo hagamos con alguien más y mostremos así su carácter, como lo hizo David.

Los Mefi-bosets de hoy

Como Mefi-boset, existen muchos que están escondidos en Lo-Devar, el sitio del olvido. Ya no recuerdan que existe un propósito de Dios para ellos. Tienen una imagen pobre de sí mismos y se conforman con el desprecio y menoscabo, lamentando su propia condición.

David mismo había dicho que no entraría ni ciego ni cojo a su casa (2 Samuel 5:6-8), sin embargo, su pacto con Jonatán era previo y superior. De igual manera, cualquier cosa que se diga en la tierra no puede ser mayor a las promesas que Dios nos ha dado en su Palabra.

El Señor tiene cuidado de todos los que sufren, quiere que ellos pasen del temor a la paz, del anonimato al reconocimiento, de la escasez a la mesa de abundancia, de la pobreza a la herencia, y todo por el pacto que Él hizo con la humanidad a través de Cristo.

Para que Mefi-boset gozara de todos los beneficios que tenía un príncipe, necesitaba irse a vivir al palacio de David. Necesitaba renunciar a Lo-Devar. Necesitaba pertenecer a David. Ahora nosotros invitamos a los desprotegidos de la tierra a pertenecer a Cristo; les invitamos a renunciar a las miserias del pecado y del mundo, y así vivir exclusivamente para Dios, haciendo suyo el pacto que Él hizo en Cristo.

La invitación está abierta para acudir a la casa del rey y ser liberados para siempre.

Siendo que Dios nos ha hecho príncipes cuando nosotros mismos estuvimos en Lo-Devar, es su mandato que vayamos a buscar a otros Mefi-bosetes que están afuera. Él nos invita a dar de gracia lo que hemos recibido de gracia. La iglesia ahora es "el David" que muchos Mefi-bosets que están afuera están anhelando con desesperación. Ellos necesitan ser revindicados, necesitan que su autoestima sea elevada, necesitan alimento y vestido, pero sobre todas las cosas necesitan ser llamados príncipes de Dios y ocupar el lugar de hijos a su mesa.

Estas tres narraciones bíblicas nos ayudan a reflexionar profundamente sobre la necesidad de atender a los desamparados que han sido objeto de una injusticia social en el mundo y ayudarles a salir de su condición. Esto es un llamado de Dios para la iglesia.

CAPÍTULO 5

VIUDAS DESAMPARADAS

En este capítulo veremos algunos casos más de viudas que se mencionan en la Biblia. Las viudas son tan frecuentemente mencionadas para ejemplificar el caso de los desamparados y afligidos, porque Dios desea darnos enseñanzas importantes que todos nosotros haremos bien en seguir.

En este capítulo veremos más acerca de estas enseñanzas.

Rizpa, un caso sorprendente

Entre los casos de personas desamparadas en la Biblia destacan aquellos de madres viudas y madres solteras, los cuales nos brindan grandes plataformas de reflexión para la elaboración de una adecuada teología de la compasión. El caso de Rizpa, es tal vez el más complejo de entre los que estamos analizando debido a los temas entrelazados que tratan en su historia; estos temas, tales como venganza, homicidio, sacrificio humano y juicio, toman supremacía en la narración bíblica encontrada en 2 Samuel 3:27 y 2 Samuel 21:1-14. En relación a Rizpa, Xabier Pikaza dice:

> *Ella aparece pronto como figura discutida, había sido una de las concubinas de Saúl y tras la muerte del rey fue objeto de disputa entre Isbaal, hijo de Saúl y nuevo rey, hombre de poca autoridad, y Abner, su general, hombre fuerte del reino, que conspiraba para entregarlo en manos de David.* [1]

[1] Pikaza., 212.

En la historia, la vida de esta mujer se ve involucrada en un círculo de intereses. Abner no puede mantener por mucho tiempo el orgullo que le produjo unificar el reino para David, porque Joab, el general del rey David, lo mata en un acto de traición despiadada (2 Samuel 3:27); y luego, muerto Isbaal, Rizpa queda entonces sin ninguno de sus posibles maridos. Es en este punto cuando esta mujer aparece como la que todos quieren, pero que nadie la puede tener, por causa de disputas y venganzas.[2]

Esta historia, tan diferente a otras en la Biblia, toma un curso dramático con la aparición de los gabaonitas. Éstos eran gente que habían hecho pacto con Israel en el pasado (Josué 9), pero que Saúl había maltratado. Por aquel entonces en Israel había una gran sequia y Dios reveló a David que la causa de ésta era la injusticia que Saúl había hecho con los de Gabaón (2 Samuel 21:1). Entonces ellos, al pensar en venganza, y enterados de la disposición del rey para ello, propusieron a David una solución propia de su cultura (2 Samuel 21:4-6): ahorcar a los descendientes de su enemigo. Ante esto, David incluye nada menos que a dos hijos de Rizpa. Así, Armoni y Mefi-boset (los hijos de ella) y otros cinco nietos de Saúl, siete en total, fueron ahorcados en el "monte de Jehová" (2 Samuel 21:8-9).

El texto bíblico declara la actitud desafiante y conmovedora de Rizpa ante tal tragedia, nos dice la Biblia:

> *Entonces Rizpa, hija de Aja, tomó una tela de cilicio y la tendió para sí sobre el peñasco, desde el principio de la siega hasta que llovió sobre ellos agua del cielo; y no dejó que ninguna ave del cielo se posase sobre ellos de día, ni fieras del campo de noche (2 Samuel 21:10).*

Por tres meses Rizpa no dejó que el sol cayera sobre los cuerpos no sepultados de las víctimas de los gabaonitas (2 Samuel 21:9-14).

Este acto valeroso llegó a oídos de David, quien impresionado por ello, tomó los huesos de Saúl y Jonatán, que no habían

---

[2] Ibid., 213.

sido sepultados todavía, junto con los cuerpos de los siete ahorcados (incluidos los dos hijos de Rizpa) y los sepultó debidamente. El texto bíblico enfatiza en que "Dios fue propicio a la tierra después de esto" (2 Samuel 21:14).

Los hechos singulares de esta mujer, -una mujer que lo pierde todo-, están registrados en el Texto Sagrado para que nosotros pudiéramos observar varios aspectos útiles en el desarrollo de una teología de intervención por la ciudad donde cada uno ministra.

La historia tiene problemas y preguntas textuales, culturales y teológicas,[3] como lo sugiere Xabier Pikaza:

> *Este es uno de los textos más duros de la Biblia hebrea, que presenta a Yahvé como garante de una justicia vengadora.* [4]

Los actos de Rizpa son los de una madre extraordinaria que no cree en la venganza. Ella es la sacerdotisa de la vida, quien, colocando los cuerpos muertos de sus hijos ante ella, intercede al Dios del cielo; y esto, de alguna manera, denota el arrepentimiento por los pecados que su marido Saúl había cometido.[5]

Rizpa, la madre de dos de los que habían sido ahorcados, cubrió los cuerpos de éstos con una manta de cilicio, el material que se usaba en tiempos de duelo y dolor. La escena fue triste y dolorosa, pero su desenlace es afable: David trató con dignidad los cuerpos de los siete fallecidos.[6]

Esta mujer, con sus acciones humanitarias, nos da la pauta para una teología de compasión. Es la verdadera sacerdotisa del Dios de la vida; la auténtica creyente que aparece como símbolo máximo de humanidad, amor materno y valentía humana ante el Dios que exige justicia.[7]

Es aquí donde se ven las analogías de lo que debería ser la iglesia misional. Una iglesia del tipo de Rizpa, una que intercede, que propone y actúa.

---

[3] Ibid., 214.
[4] Ibid.
[5] Ibid., 214-215.
[6] Carro., 291.
[7] Pikaza, 214.

La iglesia está en esta tierra para cumplir su función sacerdotal ante un mundo que sufre, llora y clama por justicia. Por tanto, su teología de compasión requiere de personas dispuestas a interceder y actuar en pro del bienestar del prójimo, cueste lo que cueste.

No sólo se observa en Rizpa un ejemplo elevado de la madre abnegada, sino un tipo de Cristo mismo, quien toma el lugar de otro; que con su tela de cilicio cubre la vergüenza del pecado de otro. En cuanto la iglesia comprenda este principio, podrá y estará en capacidad de interceder y actuar en búsqueda de justicia por los desamparados de su entorno.

La iglesia encarna a Cristo en su comunidad, y si su objetivo es alcanzar a los que sufren, tiene que comprender el contexto de ese sufrimiento cumpliendo lo que dice el apóstol Pablo en Romanos 12:15b: "Llorad con los que lloran". Así, y sólo así, la iglesia será capaz de identificarse y verse a sí misma como sirviente de la vida, y representante del Dios de la justicia.

También Rizpa es la servidora, que con su actitud, aplaca la ira del Dios que demanda justicia. Aquella, cuyo comportamiento toca el corazón del Todopoderoso, quien a su vez hace, después de la justicia que Rizpa provoca, que la tierra descance.[8]

Por último, si el caso es que Rizpa es descendiente de uno de los antiguos nobles heveos de la nación,[9] estaríamos ante otro suceso en donde Dios usa a una mujer extranjera para bendecir a Israel dentro de una cultura hebrea.

La viuda del profeta

Otro de los ejemplos que podemos analizar, entre los casos de desamparados en la Biblia, se encuentra el conocido como la viuda pobre,[10] cuyo relato se encuentra en 2 Reyes 4:1-7. Es propio mencionarla dentro del contexto de los desamparados y huérfanos, como lo dice Xabier Pikaza:

> *El derecho israelita se ha ocupado de un modo especial de las*

---

[8] Ibid.

[9] Ropero, 2150.

[10] Pikaza, *Mujeres de la Biblia Judia*, 218.

> *viudas que con los huérfanos y extranjeros formaban la capa más desfavorecida de la población. [Una] viuda «almanah» es una mujer que no puede apelar a la ayuda económica o a la protección social de nadie, sea porque su marido murió, sea porque fue abandonada y queda sola sin padres, hermanos ni parientes.* [11]

La consideración de historias como estas nos ayuda a comprender cómo Dios se interesaba por los desprotegidos en Israel; y así, con una teología de la compasión más claro, elaborar un plan de acción para este segmento de la sociedad en nuestro propio contexto.

Se plantea una problemática que es enfrentada por una viuda pobre —cuyo marido no se menciona pero se intuye su profesión: posiblemente uno de los profetas—, quien, luego de la muerte de su marido, había quedado sola, con dos hijos (quizá aun chicos) y una gran deuda (2 Reyes 4:1). Es entonces que esta mujer acude al auxilio de Eliseo, el representante de Dios, para que le libre de la tragedia de tener que vender a sus hijos a los acreedores.

Por su parte Eliseo, no sólo sirve a Yahvé para demostrar una vez más su fidelidad sino también lucha por reivindicar la santidad de Dios ante los baales. Eliseo es vinculado ahora a otro aspecto de la misericordia y la compasión por los que sufren. Veamos.

Eliseo le pregunta a la mujer viuda: "¿Qué te haré yo?" (2 Reyes 4:4). Tal pregunta evoca la complejidad de la viudez en la época patriarcal o tribal del Antiguo Testamento, pues en ese tiempo, debido a la unidad fundamental y el espacio básico de existencia circunscrito a la casa o la familia, era virtualmente imposible para una viuda poder subsistir.

La viudez significaba quedar sin protección, sin auxilio; y su suerte, muchas veces, era la prostitución o simplemente la vagancia.[13] En ese contexto se podrá entender la ley del levirato que muestra Deuteronomio 25:5-10. Dicha ley estipulaba que el hermano o pariente más cercano del marido muerto de-

---

[11] Ibid., 222.

bía casarse con la viuda, con el objetivo de asegurar descendencia al difunto y también para proteger a la mujer viuda.[14]

El profeta Eliseo se presenta como alguien sensible, que escucha, que se da tiempo, que reconoce la injusticia, que actúa, interviene y produce una solución (2 Reyes 4:3-7). Es decir, una teología de compasión no hace caso sordo a la necesidad, no la evade ni critica sino que la reconoce. El profeta no preguntó las razones del descuido con la deuda; él respondió a la necesidad de la mujer viuda. Eso muestra las características singulares del ministerio profético; él se presenta como el que atiende, como defensor del pacto de Dios.[15]

Responder, con empatía y solidaridad, es una base esencial; y así lo muestra la actitud del profeta. La iglesia es llamada no sólo a señalar el mal sino a mostrar el bien mediante acciones justas que reflejen el reino.

Al seguir con la historia podemos notar que el profeta involucró a la viuda para que fuera protagonista de su propio milagro. "Le dijo: Declárame qué tienes en casa" (2 Reyes 4:2). Es decir, buscó la manera en que la viuda participara en la solución. Así que ella contestó: "Tu sierva ninguna cosa tiene sino una vasija de aceite" (2 Reyes 4:3b).

Al leer el resto del relato se observa la estrategia del profeta en 2 Reyes 4:3-7:

> *Le dijo: Ve y pide para ti vasijas prestadas de todos tus vecinos, vasijas vacías, no pocas. Entra luego, y enciérrate tú y tus hijos; y echa en todas las vasijas, y cuando una esté llena, ponla aparte. Y se fue la mujer, y cerró la puerta encerrándose ella y sus hijos; y ellos le traían las vasijas, y ella echaba del aceite. Cuando las vasijas estuvieron llenas, dijo a un hijo suyo: Tráeme aún otras vasijas. Y él dijo: No hay más vasijas. Entonces cesó el aceite. Vino ella luego, y lo contó al varón de Dios, el cual dijo: Ve y vende el aceite, y paga a tus acreedores; y tú y tus hijos vivid de lo que quede.*

Una teología que reflexiona acerca de las necesidades de

---

[14] Ropero, 2636.
[15] Ibid.

los desprotegidos y desamparados, como en este ejemplo bíblico, nos conduce a conclusiones útiles en la práctica misional; y así, como en este caso, aprendemos que la comunidad puede participar, como lo hizo con esta viuda, proveyendo y prestando vasijas.

El profeta Eliseo le revela a esta viuda que el Dios vivo, justo y poderoso está listo para proveer para sus necesidades utilizando los recursos que ella ya tenía.[16]

Un buen proyecto misional planteará trabajar con los recursos que los desprotegidos de la comunidad ya poseen, potencializarlos y luego proporcionar los que hagan falta.

La viuda de Naín

La narración de la historia de la viuda de Naín, que se encuentra en Lucas 7:11-17, sirve como ejemplo de la compasión de Jesús con los que sufren. El relato destaca varias pautas importantes para desarrollar ministerios de compasión.

La mujer en cuestión tuvo una trágica pérdida, su único hijo murió. Además de ello, el texto bíblico dice que era viuda.

Las mujeres en la época del Nuevo Testamento sufrían, culturalmente hablando demérito de por sí, pero ser viuda era una desventaja aún más aguda.

Ahora bien, en los cuatro evangelios la participación de las mujeres en el ministerio de Jesús es muy notoria, y de entre ellos, en donde más se acentúa es el Evangelio de Lucas; en el que hay un creciente y sobresaliente interés del Señor en la vida de las mujeres; su condición social y participación en su ministerio.[17]

En esta historia se pueden identificar diversas plataformas para realizar una teología de compasión. Por un lado, Jesús es acompañado de muchos de sus discípulos y seguido por una multitud (Lucas 7:11) quien celebra la vida. En el otro extremo, encontramos otro grupo de personas que lamenta y llora la

---

[16] Pagán, *Introducción a la Biblia hebrea*, 320.

[17] Green, Joel B., McKnight, Scot, *Dictionary of Jesus and the Gospels.* (Downers Grove: InterVarsity Press, 1992), 880.

muerte (Lucas 7:12). Jesús y la muerte se encuentran y la muerte es absorbida por la vida. Entonces el joven se levanta y es dado a su madre en medio de un poderoso milagro de resurrección.

La reacción humana ante el fenómeno de la resurrección de este joven es lógica y nos dicen las Escrituras que tanto sus discípulos como los espectadores, al ser testigos del milagro, "tuvieron miedo" (Lucas 7:16). Esa experiencia les serviría a los discípulos para comprender que el Dios de la vida se acercaba al escenario de la muerte.[18]

Podemos imaginar el dolor y el llanto de la viuda y sus acompañantes, pero Jesús es el que toma la iniciativa. No fue invitado como en otras ocasiones a intervenir, esta vez la fuerza motriz de su acción fue la compasión (Lucas 7:13). Pero no hay compasión sin "ver". Jesús "vio" y eso fue lo que conmovió su corazón.

Al respecto, Sharron Kay George afirma:

> *A través de las Escrituras hebreas percibimos que Dios escucha el lamento de los afligidos y responde al sufrimiento humano con amor, compañerismo y misericordia. Dios siente y comparte el sufrimiento de sus criaturas.* [19]

Ahora bien, si la iglesia quiere ser misional en sus comunidades deberá tener una definición clara de la palabra "compasión" en términos de acción pastoral. La misma Sharron Kay George la define de la siguiente manera:

> *Compasión es la traducción de una muy interesante palabra griega usada en el Nuevo Testamento «splanjnízomai», que es tan difícil para nosotros pronunciarla como practicarla. La raíz significa "las partes interiores" o "entrañas", con lo que se describe el asiento de las emociones que asumen toda la personalidad en el nivel más profundo. La compasión es un sentimiento fuerte, una sensibilidad o actitud de amor y afecto, una reacción visceral al nivel del "plexo solar"; buenas profundidades*

[18] William MacDonald, *Comentario al Nuevo Testamento* (Barcelona: CLIE, 1995), 251.
[19] Sherron K. George, 62.

> *del ser emocional que nos mueve a abrazar las emociones o las situaciones dolorosas de otras personas.*[20]

Por consiguiente, una teología de compasión parte de la premisa de tener la capacidad de "ver" con amor, "tocar" con sensibilidad y "actuar" con piedad. Por lo tanto, la clave en esta narración y el ejemplo tomado para la iglesia que quiere activarse es la compasión. La compasión es aquello que propone, activa y orienta el mover de la iglesia a proporcionar respuestas a las necesidades que puede observar en su contexto.

Una teología de este tipo tiene la capacidad de expresar el verdadero sentimiento del evangelio, que se conmueve, llora, solidariza con las víctimas de la sociedad.[21] La teología que se propone acentúa que así como la viuda de Naín, quien cargaba las marcas de la muerte y donde la compasión personificada en Jesús "tocó el féretro" (Lucas 7:14); causando vida sobre la muerte, y que el pueblo glorificara a Dios por ello (Lucas 7:16), así la Iglesia identifique a los que lloran y sufren dentro de las comunidades, con el fin de causar vida en escenarios de muerte social.

Toda comunidad en el mundo se verá beneficiada cuando la Iglesia entienda la vocación misional que ha recibido: "ir", "ver" y "tocar". Esto debe traducirse en acciones concretas por el bienestar de las madres viudas y solteras, y en general por todos los desamparados y rechazados en todo lugar en donde se palpe una teología de la compasión dentro de nuestras comunidades.

Podemos subrayar dos pautas para la teología de la compasión en este pasaje, en donde podemos observar el prototipo de los cotejos de muerte que caminan en nuestras propias calles: primero, Jesús le habla al joven y le dice: "Joven, a ti te digo, levántate" (Lucas 7:14c). Él no sólo "ve" y "toca [el féretro]", sino que "habla [al joven]", lo cual lo llevó a proclamar vida sobre la muerte. Una verdadera teología de la compasión involucrará siempre estas tres palabras -ver, tocar y hablar-. Segundo, la multitud reconoce que Jesús es un profeta. "Un gran profeta se ha levantado entre nosotros y Dios ha visitado

---

[21] Ibid.

a su pueblo" (Lucas 7:16b). La función del profeta, consistía en proclamar las verdades de Dios. Así los que nos observan verán que realmente Dios habla a través nuestro.

La iglesia está en medio de comunidades en las que se pueden ver los símbolos de la muerte y es llamada por Dios a profetizar y proclamar en ellas la verdad que produce vida. La iglesia es desafiada a retar a las esferas que esclavizan, es animada a pronunciarse en contra de la injusticia, y es su vocación ministrar la vida de Jesús en sus comunidades.

La viuda pobre

En el ministerio de Jesús encontramos su interacción con varias mujeres y algunas de éstas, viudas.

Algo raro y distinto a la costumbre de su tiempo. Con ello da ejemplo a sus propios discípulos para su pensar y actuar.

Jesús muestra idéntica compasión hacia las viudas que Dios mismo subraya en la Ley y los profetas (Lucas 7:11-15; 18:3-5; 20:47; 21:2-4) y ataca a aquellos que atentan contra sus recursos y abusan de ese sector tan desprotegido de la sociedad (Marcos 12:40; Lucas 20:27). Jesús elogia a las viudas y las pone como ejemplo en sus enseñanzas (Marcos 12:41, 42; Lucas 18:1-8).[22]

Dicho esto, la narración de la viuda pobre nos ayuda a establecer un criterio misional y una filosofía correcta en relación a la riqueza y la pobreza en el contexto del sacrificio. Tal narración se encuentra en Lucas 21:1-4:

> *Levantando los ojos, vio a los ricos que echaban sus ofrendas en el arca de las ofrendas. Vio también a una viuda muy pobre, que echaba allí dos blancas.*
> *Y dijo: En verdad os digo, que esta viuda pobre echó más que todos. Porque todos aquellos echaron para las ofrendas de Dios de lo que les sobra; mas esta, de su pobreza echó todo el sustento que tenía.*

Las lecciones y aplicaciones que esta narración trae consigo

---

[22] Berzosa, *Gran diccionario enciclopédico de la Biblia*, 2637.

son importantes para la teología misional. Ahí observamos a Jesús activo en el templo, en el tiempo cuando se requería que los contribuyentes declararan el monto de su donación y su propósito. De esta manera, Jesús se sentó delante del arca, desde donde probablemente podía ver y oír las dádivas del pueblo.[23]

Es posible, como dice Joachim Jeremías, que

> *Jesús hace suya las exigencias sociales [que hicieran] los profetas. Como se ve en la predicación profética, el derecho de Dios es el derecho de los pobres.*[24]

Por lo tanto, en esta sección del texto podemos ver a Jesús en una actitud con la que no sólo valora la ofrenda y el comportamiento de la viuda, sino que denuncia las estructuras religiosas sostenidas por los judíos.

Elogiar la ofrenda de la viuda era también, en cierto sentido, un cuestionamiento, puesto que ella dio tan sólo dos blancas (Lucas 21:2), pero las leyes del Antiguo Testamento claramente estipulan que se debía cuidar de este segmento de la población (Éxodo 22:20-23; Deuteronomio 16:9-15; 24:17-22). Las estructuras religiosas estaban encargadas del sostenimiento de las viudas, ya que éstas habían perdido su estatus social y su reputación ante la sociedad.[25]

Por lo tanto, se debe notar que lo que Jesús hace es declarar a las estructuras religiosas dónde estaba su error. Por un lado, había alguien que tenía para dar todo lo que poseía, mientras que por otro estaban los que daban de lo que les sobraba. Jesús señala un pecado ya que desde la teología del Antiguo Testamento se puede observar el sentir de Dios: "Maldito el que pervirtiere el derecho del extranjero, del huérfano y de la viuda. Y dirá todo el pueblo: Amén" (Deuteronomio 27:19). En los escritos de los profetas leemos el punto de vista de Dios relati-

---

[23] Sanner, A. Elwood, *El Santo Evangelio Según San Marcos*, en *Comentario bíblico Beacon: Mateo hasta Lucas.* Vol. 6. (Lenexa: Casa Nazarena de Publicaciones, 2010), 384.

[24] Jeremias, Joachim, *Teología del Nuevo Testamento.* (M. Salamanca: Ediciones Sígueme, 1985), 259.

[25] Berzosa, *Gran diccionario enciclopédico de la Biblia*, 2636.

vo a las viudas y los pobres de la sociedad, cuando aquellos, bajo la inspiración del Espíritu, levantaban sus voces de indignación, repudio y condena a reyes y ricos. Ellos abogaban por la conversión de sus corazones y por estructuras sociales más justas que fueran reflejo de la aplicación de la ley que pugna por una alianza por los necesitados.[26] Samuel Díaz declara:

> *Gracias a Dios por esas personas que a pesar de su pobreza tienen la delicadeza de adorar a Dios con lo poco que tienen. La viuda no se detuvo a sacar cuentas de los ingresos y egresos del templo, ni a pensar para quién iba a ser el dinero [a fin de decidir si] darlo o no; ella lo consideraba parte de su servicio a Dios y actuó en consecuencia. Jesús la vio y explicó que ella, en su pobreza, había puesto más dinero en la alcancía que todos los demás, porque los otros depositaban lo que les sobraba, pero la viuda depositó lo que tenía para su propio sustento.*[27]

Lo que Jesús plantea nos permite entender varias acciones que la iglesia deberá tomar. Por un lado debe denunciar y pronunciarse en contra de la injusticia, debe activarse en solidaridad con los que tienen poco. Es decir, no sólo ver la realidad sino hacer algo para cambiarla.

Pero también, la iglesia debe aprender de la actitud de la viuda que dio todo, que no se reservó nada, que lo hizo en una actitud de adoración. Es aquí donde la iglesia debe ver en la enseñanza de Jesús, un nuevo criterio de valorización social. Él mide la pequeñez y la grandeza de una manera muy diferente a la del hombre.[28]

Como lo declara J. Jeremías:

> *Así como la actitud de Jesús hacia los pobres es amistosa, sus palabras sobre la riqueza son duras.*[29]

Él les dice: "Porque todos aquellos echaron para las ofrendas de Dios de los que les sobraba" (Lucas 21:4a). Jesús señala esa

---

[26] Ibid.

[27] Díaz, Samuel, *Comentario Bíblico del Continente Nuevo: San Lucas.* (Miami: Editorial Unilit, 2007).

[28] Ryle, J. C., *Meditaciones sobre los evangelios: Lucas*, trans. Elena Flores Sanz. Vol. 2. (Moral de Calatrava: Editorial Peregrino, 2002-2004), 387.

actitud como una conducta egoísta. Si la iglesia quiere desarrollar una teología adecuada debe aprender a darse, sacrificarse y entregarse por la causa de Dios; y que esa sea la motivación de sus respuestas misionales.

En la narración observamos que Jesús alzó la mirada (Lucas 21:1a). Es decir, Jesús se presenta para mirar lo que otros no miraron y hace declaraciones en consecuencia. Aquello era una situación dispareja no sólo en cuanto a la actitud de ofrendar sino en cuanto a la capacidad de unos y otros. En este sentido, una iglesia que se interesa en accionar misionalmente, no sólo está demostrando la actitud correcta sino que se compromete a la búsqueda de recursos para que haya abundancia.

Es posible que esta narración establezca las pautas a seguir en la teología de misión que muchas iglesias desearían adoptar.

Por lo que se observa en la ofrenda de la viuda, ésta carecía de valor ante la sociedad, y más por el hecho de quien la daba: una mujer y viuda. Como ya se señaló, éstas perdían sus derechos en una sociedad que las marginaba. Jesús puntualiza la clase de corazón que debe tener la iglesia, la clase de servicio que debe dar para iniciar la actividad misional.

La viuda hizo de su pobreza una riqueza y un ejemplo. Una iglesia con una teología misional y de compasión no es efectiva sólo por los recursos que posea, sino por la actitud que adopte en la sociedad. En este sentido Jesús avala la humildad que puede haber en un proyecto de transformación comunitaria siempre y cuando nazca de una actitud correcta.

Si se toma en cuenta a los lectores originales de esta historia, -los cristianos de la década de los 80 del primer siglo-, ellos ya no tenían un templo físico, pero Lucas presenta a Jesús como el templo de Dios que sigue vigente. Un templo vivo que continúa percibiendo la intención, bendiciendo la actitud y alabando la acción. La iglesia de hoy debe romper los estereotipos acerca de la valorización de las personas, y abrir las puertas para la integración, el otorgamiento de oportunidades y el diálogo efectivo a fin de crear una conciencia misional. Por lo tan-

[29] Jeremías, *Teología del Nuevo Testamento*, 259.

to, la iglesia puede ver en la viuda pobre el ejemplo de motivación para actuar, vivir y servir.

La mujer cananea

La mujer de la que se habla en este segmento es conocida evangelista Marcos a una mujer fenicia cuya hija sanó Jesús (Marcos 7:26). Mateo la llama "mujer cananea" (Mateo 12:22), lo que significa que no era judía. Ella era más bien descendiente de los antiguos moradores de la tierra costera de Fenicia, por lo tanto por "sirofenicia" debería entenderse mujer medio siria y medio fenicia.[30]

¿Cuál sería la razón por la que Jesús fue hacia esa zona? Quería retirarse a solas por unos momentos y buscó la zona de Tiro y Sidón al Norte de Galilea.[31] El historiador Josefo escribe sobre esta región entre los filisteos: "los que más rabia nos tienen son los tirios".[32] Aunque la intención de Jesús fuese estar solo, y lejos de los fariseos y escribas,[33] la narración permite evaluar el proceder de los discípulos, la necesidad de la mujer y la acción emprendida por Jesús.

Otro hecho interesante es que los dos evangelios omiten el nombre de esta mujer; pues el nombre, como en cualquier cultura, refleja carácter, personalidad y rastros de su identidad. Si insistimos en ello, -en lo de los nombres- algunos textos extra canónicos sugieren una vieja tradición encontrada en las homilías clementinas que afirma que el nombre de la mujer era Justa y el de su hija, Berenice.[34]

Ahora bien, ambos evangelios aclaran su nacionalidad, dato suficiente para saber las implicaciones que tendría la mujer al acercarse a Jesús.

Una simple lectura del texto podría orientar al estudioso a concentrarse en la historia y la necesidad de la mujer más que en su identidad como persona. Pero es aquí que nace un reto

---

[30] Berzosa, *Gran diccionario enciclopédico de la Biblia*, 2376.
[31] Barclay, *Comentario al Nuevo Testamento*, 132.
[32] Ibid.
[33] Ibid.
[34] Ibid.

para la teología de la compasión misional. En la sociedad hay personas sin nombre, rostro ni voz, pero con historia. Sin embargo, a veces, esa historia es marcada por el prejuicio social, cultural o religioso. No se puede desconectar a la persona de su historia, ya que esta deja marcas y huellas que repercuten en la vida y en la percepción que tiene la sociedad respecto de ella.

Por lo tanto, es tarea de la iglesia reconocer quiénes son y dónde están las sirofenicias de nuestros días. Esas mujeres que traen una petición ante Jesús. Esas, que ante las limitaciones de la misión, creadas en ocasiones por el prejuicio teológico, denominacional o cultural, ven casi imposible llegar a Jesús.

El curso que toma la narración permite evaluar las complejidades e incoherencias que pudieran existir en una teología exclusiva y separatista; es decir, Jesús se presenta aquí como un rabino fiel a su misión, a las ovejas perdidas de Israel (Mateo 15:24). El Maestro ha enseñado acerca de la inclusividad (Mateo 28:19) y del lugar que tienen todos en el reino. Sin embargo, aquí se presenta como uno con preferencias, por lo que podemos preguntarnos, ¿cómo conciliar al Jesús de todos y para todos en esta historia?

Por un lado, Jesús podría estar probando la fe de la mujer. Por otro, les daba una lección de compasión a sus discípulos.[35] Esto sólo se podrá entender al conocer el desenlace de la narración.

Sin embargo, aunque los discípulos se muestran intolerantes (Mateo 15:23), la mujer con todas las desventajas que incluía su género y su nacionalidad, clama desgarradoramente. Ella tiene un problema mayor que el prejuicio cultural y gime: "Mi hija es gravemente atormentada por un demonio" (Mateo 15:22c). Ante tal problema no hay barreas, no existe fuerza en el mundo que impida a una madre decir: "Señor socórreme" (Mateo 15:25b).

Para que una teología sea válida ésta forzosamente tiene que escuchar a los que claman diciendo, "Señor socórreme".

[35] Carro, *Comentario bíblico mundo hispano*. 214.

En el evangelio de Mateo (15:25b) se observa la molestia de los discípulos al decir: "Despídela, pues da voces tras nosotros." Barclay sugiere que lo que estaban insinuando era la liberación de un compromiso: "Dale ya lo que quiere para que nos deje en paz."[36]

A medida que la iglesia se haga accesible a los que sufren, claman y lloran, estará en capacidad de acercar a las personas a Jesús. Una visión corta de la misión, por el contrario, les aleja aún más de Aquel que puede sanar y liberar. Tal fue el caso de los discípulos, que con su actitud, alejaban del Señor a una joven atormentada por un demonio (Mateo 15:22).

En todas las comunidades hay sirofenicias que claman por socorro, y son aquellas que con su fe vencen las circunstancias adversas que les rodean. Y es esa fe la que hace posible su salvación.[37] Antonio González afirma que

> *...lo decisivo no está en los poderes taumatúrgicos de Jesús [su facultad de hacer prodigios] [ni acaso] el de sus discípulos, sino en nuestra propia capacidad de creer.*[38]

Esta mujer, aunque sirofenicia rechazada por la sociedad, resistida por los discípulos y relegada por una teología de exclusividad israelita, alcanzó lo que busco porque creyó en Jesucristo (Mateo 15:28).

En este mundo existen comunidades en crisis. Comunidades que son la habitación de gente que sufre los embates del prejuicio público en general, la pérdida de la estabilidad social, el acoso de las pandillas, la prostitución, la droga y la marginación; y es ahí en donde deambulan sirofenicias a las que les han quitado mucho: familias, esposos, hijos y seguridad; pero no les han podido quitar la posibilidad de creer.

La verdadera teología de la compasión es aquella que acerca a las personas a Jesús. La que derriba las barreras y brinda el mensaje de salvación y esperanza. Un mensaje en donde Cristo

---

[36] Ibid.

[37] Antonio González, *Reinado de Dios e imperio* (Santander: Sal Terrae, 2003), 145.

[38] Ibid.

no sólo es vencedor contra todas las esferas demoniacas, sino también es poderoso para hacer añicos la apatía de las personas, y su desinterés en los que sufren, pues, en sordez indiferente, son incapaces de escuchar a quienes claman: "Señor, socórreme."

COMPASIÓN DE DIOS CON MUJERES DE CONDICIÓN DESFAVORABLE

CAPÍTULO 6

En este capítulo veremos dos casos más narrados en las Escrituras. Se trata de dos casos de mujeres que fueron objeto de menosprecio social, cuyas vidas fueron cargadas de sufrimiento en silencio.

La primera tiene que ver con una mujer que era rechazada por la sociedad debido a ser considerada inmoral. Fracasada en el terreno sentimental y conyugal, seguramente maltratada emocionalmente y aún quizá físicamente, se había convertido en el desecho de la cultura en que estuvo circunscrita.

Veremos como último caso a Lea. Una mujer cuya vida es marcada por el menosprecio, falta de amor y marginación emocional. Una mujer que no gozaba de gloria ninguna y era tratada injustamente tan sólo por no tener la gracia que tuvo su hermana, quien se había convertido en su propio rival.

Estas historias nos ayudarán a completar el cuadro de la teología de la compasión.

Jesús en Samaria

Vemos en la Palabra de Dios un caso inusual, bellamente narrado por el cuarto evangelista en el capítulo 4 de su evangelio. Juan narra a Jesús como un ser humano. Limitado por el cansancio y necesitado de agua para mitigar su sed, pero también, -y sobre todo- narra la historia de compasión, cuando Él quiso pasar por Samaria.

Recorría Jesús muchas regiones de Judea y de Galilea. Y entre Galilea y Judea, estaba Samaria. Era así costumbre de los judíos, que en lugar de ir por el camino más corto, que sería un camino de tres días al travesar Samaria, preferían rodear - una ruta de al menos seis días- tan sólo para no pasar por entre los samaritanos. Pero Jesús tenía un plan, Él tenía, en su agenda divina, un encuentro con una mujer samaritana.

Cristo era un experto en encuentros. En Lucas 19 Él tuvo un encuentro con Zaqueo, este hombre de baja estatura que, interesado por conocer a Cristo, hizo cuanto pudo por verle. El Señor sabía de esto, el sabía que Zaqueo era un candidato perfecto para la salvación y, en su plan estuvo posar en la casa de este publicano para así salvar su alma.

Otro ejemplo de estos encuentros divinos fue aquel que el Maestro tuvo con el endemoniado gadareno, ¡este también fue sorprendente! Pues si leemos el pasaje nos daremos cuenta que Cristo cruzó el mar e invirtió todo un día de ministerio, tan sólo para ir a salvar esta alma. El Señor tuvo compasión de este pobre hombre que andaba desnudo, vivía en los sepulcros y hería su cuerpo con piedras. Un hombre que nadie podía dominar, pero que vencidos los demonios por la presencia de Cristo, a una sola palabra del Hijo de Dios, éstos salieron de él, aun y lo numerosos que eran. Este es así un ejemplo mas de la compasión que la iglesia debe de mostrar para con aquellos que sufren por el tormento demoniaco.

Un caso más es el narrado en Marcos 10:46-52. Se trata de Bartimeo el ciego. Éste, cuando escuchó que Jesús venía, empezó a dar voces, pues quería obtener su misericordia. El Señor, no sólo le sanó, sino le permitió que le siguiera (lo que no hizo con el endemoniado gadareno).

Pues bien, ahora Cristo tenía el plan de alcanzar a Samaria y el instrumento para ello sería esta mujer pecadora. Por esto, la narración bíblica nos dice: "le era necesario pasar por samaria". Esto nos hace pensar en el plan que Dios tiene para alcanzar a nuestra ciudad si empezamos a ser una iglesia misional.

¿Qué podríamos imaginar acerca de esta mujer? Una mujer con graves prejuicios sociales y religiosos. Recuerdos ingratos que seguramente inundaban su vida, días de profunda angustia y desolación, días que marcaban su condición actual: una esclavitud al pecado.

Circunstancias del encuentro

Jesús trazó todo con exactitud. La hora era especialmente peculiar, no era la hora usual en que las mujeres solían ir por agua, pues era la hora del sol más intenso. Pero aquella pobre mujer estaba aislada, sola en el mundo, pues los demás, al saber de su condición, le despreciaban.

Los mismos discípulos no iban con Cristo, ellos fueron a comprar algo para comer fuera de Samaria, pues les avergonzaba y juzgaban odioso comprar de los samaritanos. Jesús encontró a esta mujer en el pozo de Sicar, un pozo histórico y milenario.

Vemos que la primera expresión de Cristo no fue de condena sino de apertura. Esta mujer ciertamente tenía una vida tachonada por faltas, pero Cristo apela a la bondad más profunda de ella al decirle: "dame de beber". ¿Qué bueno podría haber en esta mujer? Pues lo que alguien juzgaría como nulo, el Señor, lo utiliza como introducción. Jesús no se presenta con aires de superioridad, ni con un espíritu de condenación, sino como un caminante sediento que deseaba ser ayudado por una mujer samaritana.

La samaritana por su parte, asombrada por la actitud de este extraño, accede a brindar ayuda, y por un momento olvida todos sus prejuicios. En muchas ocasiones, la iglesia, en su accionar misional, se enfrenta a un sinnúmero de prejuicios, los cuales necesitan ser vencidos a fin de cumplir su tarea de compasión. Es también una estrategia del mismo Cristo, pedir pequeños favores a aquellos a quienes mostraremos compasión, pues esto abrirá el camino para que ellos se dejen ayudar.

Luego, al seguir con la historia, y puesto que los samaritanos eran una cultura de segregación, una cultura en la que ellos nacían inmersos, los prejuicios vuelvan a aflorar. Es así como surge la separación religiosa, pues ellos tenían su forma de adoración particularizada. El tema de los lugares, y por último el idioma mismo. Parecía que todas las variantes estaban en contra de un diálogo exitoso. Sin embargo, Cristo venció todo lo adverso a fin de brindar ayuda a esta mujer que, durante toda su vida estuvo anhelando ser verdaderamente libre y tomar del agua de vida. Así también nosotros, en nuestra tarea misional necesitamos vencer todo lo adverso para ayudar a aquellos que sufren.

Una conversación que va de lo religioso a lo espiritual

En el caso de la samaritana, como sucede con toda persona sin Cristo, su idea de Dios estaba totalmente circunscrita a lo religioso. Pero Cristo tuvo paciencia con ella. Mientras que las respuestas de la mujer eran del tipo religioso, Cristo le muestra el camino de la verdadera adoración. Le da a conocer que Él mismo da el agua de vida que "salta para vida eterna". Luego le demuestra su autoridad al decirle: "Ve, llama a tu marido y ven acá". Jesús intencionalmente hizo esto para mostrar su poder a esta mujer, como una probadita de la ciencia del Espíritu Santo.

Cristo conocía la condición deplorable de ella, rechazada por cinco maridos. ¿Qué era lo que tendría esta mujer para padecer tales experiencias? Seguro había una historia que casi ninguno de nosotros pudiera imaginar, pero Cristo la sabía y tuvo compasión de ella. No fue el típico judío que le rechazaría, sino más bien uno que le tomó de la mano y le sacó del fango. Eso es lo que Dios quiere que hagamos con todos aquellos que caminan en este mundo. Pueden tener un orgullo religioso y estar llenos de prejuicios. Podrán ser tan diferentes a nosotros, pero aún así Dios sigue diciendo: "me es necesario pasar por Samaria" y quiere que seamos sus instrumentos para ayudar misionalmente a estas personas marginadas y destruidas por el diablo.

Cristo demuestra una vez más la teología de la compasión, la cual vence todos los obstáculos y prejuicios a fin de brindar ayuda a aquellos que la necesitan.

Lea la fea

En la Biblia encontramos historias fascinantes que nos llevan a una mayor espiritualidad. Otras nos inspiran a ser como los personajes que en ella intervienen, pero otras parecen no tener un contenido que despierte algún noble sentimiento. Pero esto último es tan sólo en apariencia, porque nos dice 2 Timoteo 3:16 que toda la Escritura es inspirada por Dios y útil... Es por ello que las historias bíblicas, desde el Génesis, aunque algunas parezcan contener las tramas perfectas para una telenovela, todas ellas nos traen alguna enseñanza espiritual.

Si observamos la historia de Abraham vemos a un hombre común. No uno superdotado sino simplemente un hombre, como dijo Santiago de Elías, "sujeto a pasiones" (Santiago 5:17). Eso quiere decir que la Biblia nos presenta hombres de carne y hueso que también tenían que, como nosotros, vivir por la fe. Los capítulos 29 al 32 de Génesis encierran algunas de las facetas de la vida de hombres como Abraham, Isaac, Jacob y Esaú; pero también se incluyen algunas mujeres que influyeron en gran manera en las vidas de éstos. Ellas son: Sara, Rebeca, Raquel y Lea. Es de esta última que estaremos hablando en esta sección puesto que tiene que ver con el tema de la justicia de Dios.

Tomada por obligación

La narración bíblica nos presenta a un Jacob que, huyendo de la ira incontrolable de su hermano, fue a dar a la tierra de donde su madre Rebeca había salido. Desde luego que todo era un plan dirigido por Dios para dar nacimiento a la nación de Israel. Así pues, la providencia divina llevó a Jacob a trabajar para su tío Labán, quien tenía dos hijas, una se llamaba Raquel y otra Lea. Raquel era para Jacob la más bella y llena de gracia de las mujeres, tanto que, enamorado de ella, estuvo dispuesto a trabajar siete años para pagar la dote exigida por los orientales en aquel tiempo y poder así casarse con su amada.

Nos dice la Biblia que trabajó los siete años y que le parecieron pocos porque él amaba a Raquel. Sin embargo, llegado el tiempo para tomarla por mujer, y siguiendo los protocolos acostumbrados, los cuales marcaban que Jacob no descubriría el rostro de su amada sino hasta la mañana después de la noche de bodas; ante su enorme sorpresa, la mujer que encontró no fue aquella joven dulce que él amó, sino aquella otra de facciones menos agradables: la hermana de Raquel, Lea.

Así, vemos la primera circunstancia desagradable para Lea: el desprecio de su marido desde el primer día de matrimonio. Quizá ella se ilusionó con la idea de su padre, quizá lo vio como un desatino, sea lo que sea, indescriptible es pensar cual fue la reacción de Jacob al darse cuenta del engaño, así como lo que Lea sentiría ante tan grotesca situación.

Luego vemos que esto queda marcado en la mente y corazón, no sólo de Lea misma sino de Raquel, quienes, muchos años mas tarde, acusan a su propio padre de haberlas vendido (Génesis 31:15). Por cierto, la Palabra de Dios describe a Labán como el perfecto avaro, quien está dispuesto a todo tan sólo por dinero. Él estuvo dispuesto a vender a sus propias hijas, ¿qué otras cosas no haría?

Jacob, ante tan frustrante situación, aún así, accede a trabajar otros siete años por Raquel, y de esta manera, tomó a ambas mujeres por esposas.

De esta manera vemos, en el caso de Lea, un ejemplo perfecto de una mujer que fue objeto de la injusticia social y de cómo Dios le reivindica.

Raquel y Lea

Sin entrar en el detalle que teológicamente resultaría de la pregunta de porqué Dios permitiría tener a Jacob dos mujeres y dos concubinas, hagamos ahora una descripción breve de Raquel y Lea.

Raquel era la amada. Un amor a primera vista nacido desde que Jacob llega a la tierra de su madre. Nos dice el Génesis de este encuentro: "Y Jacob besó a Raquel, y alzó la voz y lloró" (Génesis 29:11). Luego, en el mismo pasaje, el escritor bíblico nos da una luz breve de cómo era Raquel físicamente: ella era de lindo semblante y de hermoso parecer. Es decir, tanto su rostro como su figura eran agradables a Jacob; sin embargo tenía un gran defecto: era estéril.

En cambio, de Lea poco se dice. Encontramos únicamente

"Y los ojos de Lea eran delicados" (Génesis 29:17). Estos ojos delicados (ojos de vaca), antes de ser un halago, más bien pudieran significar el estigma de las enfermedades del alma tales como depresión, estrés, marginación, etc.

Estas dos mujeres jamás se imaginaron que habrían de ser esposas de la misma persona. Jamás imaginaron que algún día serían no sólo madres de los hijos de Israel, sino que estos nacimientos habrían de ser producto de una constante rivalidad. Una rivalidad marcada por el menosprecio mutuo, en donde Lea, por ser la despreciada por su marido, siempre estuvo en desventaja.

Dos hermanas rivales

La relación de Raquel y Lea nunca tuvo su tiempo más álgido sino aquel en donde nacieron los hijos de Jacob. Raquel era amada y aunque estéril, tenía predilección por su marido. Lea envidiaba a Raquel por ser amada y Raquel a Lea por ser sexualmente fértil. Raquel se sentía muy mal por ser estéril, pero Lea era rechazada por su propio marido.

La situación de rivalidad es descrita en los capítulos 29 y 30 del Génesis. En estos capítulos también encontramos a Dios interviniendo y favoreciendo a Lea, al ver la injusticia de la cual era objeto. Nos dice: "Y vio Jehová que Lea era menospreciada, y le dio hijos" (Génesis 29:31). Dios observa la injusticia de Lea y le alivia, equilibra la balanza, pues ella era menospreciada, y no había razón para que lo fuera, sino que su único pecado fue no haber nacido tan atractiva como su hermana, por ello Dios da hijos a Lea.

Raquel es tipificada en la Biblia como la multiplicación, pero para pasar por esta multiplicación era necesario pasar por Lea primero. Es decir, aunque Jacob reconocía a Raquel como la esposa legitima, por la que realmente luchó tanto, y como la madre de Israel, Dios reivindica a Lea. Era necesario pasar por Lea primero para llegar a tener a Raquel. Esto nos trae grandes aplicaciones a la vida cristiana y nos da un ejemplo de la justicia de Dios frente a los que son despreciados y sufren injustamente.

La reivindicación de Lea

Dios da a Lea hijos. Él se acuerda de los desvalidos y menospreciados, y esto es un patrón que vemos se repite una y otra vez en las Escrituras. Dios muestra compasión. Él elige a los que nadie elige; llama a los que nadie llama; ama a los que nadie ama; ve a los que nadie ve y observa lo más profundo del corazón humano.

Encontramos en los nombres de los hijos de Lea rasgos muy especiales acerca de su sentir. Primero, Rubén (ahora me amará mi marido). Aquí Lea buscaba la aprobación de su marido. El amor de Jacob. Segundo, Simeón (oyó Jehová que yo era menospreciada). Aquí Lea encuentra sosiego en la oración. Ella reconoce que Dios escuchó su clamor y vio la súplica de su corazón. Tercero, Leví (ahora se unirá conmigo mi marido). Aquí Lea busca intimidad, no relaciones sexuales solamente. Ella está en búsqueda de ser tratada como una mujer especial y no simplemente como un instrumento de placer momentáneo. Cuarto, Judá (esta vez alabaré a Jehová). Aquí Lea celebra la victoria y alaba al Señor. Su lucha termina en Judá y es de Judá de donde proviene nuestro Salvador. Lea por fin encuentra sentido a la vida y alaba al Señor por su liberación. Su cuarto hijo, que luego vemos en la historia que tomó prominencia sobre los demás, inclusive sobre Rubén, el primogénito, ayuda a Lea a encontrar gozo y reposo en Dios. Así es como el Señor reivindica a Lea y muestra su justicia y compasión con los que padecen. La iglesia es comisionada por Dios para hacer lo mismo.

Lea en nuestra propia vida

Vivimos en un mundo de apariencias y gente sumergida en la lucha por encontrar aprobación de los que les rodean. Pero la realidad de esto es un mundo que sufre. Abraham, aunque encontró gracia ante los ojos de Dios, entendió, -y luego Jacob tuvo su propia experiencia-, que la gracia va acompañada de lucha y sufrimiento. Por ello todos debemos aprender a lidiar con el rechazo, la miseria, la injusticia, la crueldad, la tragedia e incluso la muerte. Todos los seres humanos, incluso los hijos de Dios, luchamos con una serie de situaciones adversas que necesitamos vencer.

Vemos el gran final de Lea, que a pesar de ser menospreciada y de sus luchas constantes, dio a luz más hijos que todas las demás. Ella fue madre de siete hijos, seis hombres (Rubén, Simeón, Leví, Judá, Isacar y Zabulón); y una mujer: Dina. De entre ellos Judá es sobresaliente pues dijo Jacob en su bendición final: "No será quitado el cetro de Judá, Ni el legislador de entre sus pies, Hasta que venga Siloh; Y a él se congregarán los pueblos" (Génesis 49:10). Y por todos nosotros es sabido que el Señor Jesús vino de la tribu de Judá.

Lea fue una mujer rechazada y reducida (mayormente al principio) a ser una persona de segunda categoría, pero logró vencer sus temores. Logró entender que Dios era su refugio y que podía vivir feliz confiando en Él. Con todo y lo que Lea sufrió, fue una mujer realmente admirable y exitosa, madre de la mitad de las tribus de Israel y favorecida y honrada por el Señor.

Esta historia nos ayuda a comprender que los menospreciados de la sociedad tienen esperanza en Dios y que es nuestro trabajo mostrar la teología de compasión con ellos.

PARTE 3

APLICACIÓN DE LA TEOLOGÍA DE LA COMPASIÓN EN LA IGLESIA LOCAL

La implementación de una estrategia misional en una iglesia local muchas ocasiones es una tarea compleja. En esta sección estaremos analizando algunos de los aspectos más importantes de la implementación de una estrategia misional, partiendo de la necesidad misma del cumplimiento del mandato de Jesús.

La iglesia necesitará una teología orientada a la necesidad que le circunda, evaluar sus propios recursos, hacer un análisis de la comunidad a la que ministrará, y preparar el liderazgo participante. En todo esto, la iglesia necesitará encarnar la visión de Dios y estar totalmente convencida de la gran importancia de la misión.

CAPÍTULO 7

MINISTERIOS DE AYUDA EN LA IGLESIA LOCAL

En este capítulo estaremos analizando los retos y oportunidades previas al lanzamiento de un proyecto de ayuda en la iglesia local. Existen retos muy importantes en los creyentes pertenecientes a una comunidad. Estos retos tienen que ver con la teología pastoral que adopte y cómo ésta es puesta en acción dentro de la comunidad que ministra. Asimismo, existen retos de índole económico, de instalaciones y de logística. Sin embargo, veremos aquí algunas ideas que nos proveerán bases para superar tales obstáculos.

Este capítulo también nos ayudará a comprender el ejemplo de la iglesia primitiva frente a sus propios obstáculos a fin de no presentar excusas para no desarrollar aquello que el Señor ha puesto en nuestros corazones mediante su poder.

Finalmente se estarán analizando los conceptos bíblicos acerca de la calidad de peregrino que todo cristiano necesita tener.

Elementos clave para la expansión del ministerio

Los elementos claves para la expansión del ministerio apuntan a la proyección del nuevo creyente, y a su celo evangelístico. El resultado de esto es el descubrimiento de nuevos retos, desafíos y, a la vez, por supuesto, beneficios para toda iglesia. Esto se puede lograr aún sin necesidad de poseer experiencia, pues al final de cuentas lo más importante es tener pasión. La historia "de la Iglesia es una historia de hombres y mujeres en acción por Dios. Es la historia del pueblo de Dios continuando el ministerio de Cristo en este mundo."[1] Cada congregación está marcada por su historia, la cual consiste en los retos y desafíos que ha enfrentado.

El desarrollo de un ministerio como el de Jesús

Uno de los retos más importantes de la iglesia es el desarrollo del ministerio. Jesús dice: "Vosotros sois la luz del mundo; una ciudad asentada sobre un monte no se puede esconder" (Mateo 5:14). Como lo afirma el comentarista William Barclay:

> *Podría decirse que este es el mayor cumplido que se le haya hecho jamás al cristiano individual porque, en él, Jesús manda al cristiano que sea lo que Él mismo afirmó ser. Jesús dijo: "Mientras estoy en el mundo, luz soy del mundo" (Juan 9:5). Cuando Jesús mandó a sus seguidores que fueran luz del mundo, les pidió que fueran como Él mismo, ni más ni menos.* [2]

Recursos propios en la iglesia

En muchas ocasiones el reto para una iglesia consiste en ser, y llegar a ser, aquello para lo que no se tiene entrenamiento. De igual manera, los recursos muchas veces suelen ser muy pocos, y se carece del entrenamiento apropiado para realizar la lectura de la comunidad. El reto es grande, ya que la incógnita acerca de cómo comprender el campo de acción misional en una ciudad no es respondido adecuadamente debido a que la iglesia puede, por ejemplo, y suele ser común, carecer de instalaciones propias, equipo humano, y recursos materiales para materializar la visión que se tiene en una ciudad.

Se ha notado, por ejemplo, que en el caso de las iglesias localizadas en comunidades urbanas grandes, en donde las propiedades son sumamente costosas, que la iglesia se tiene que cambiar de edificio en distintas ocasiones y, aún compartir

---

[1] Miranda, Jesse, *El ministerio de la iglesia.* (Irving: IIC University, 1987), 82.
[2] William Barclay, *Comentario al Nuevo Testamento: Mateo,* (Barcelona: CLIE, 1994), 42.

horarios con otras congregaciones, lo cual restringe las facilidades logísticas e impone limitaciones para el cumplimiento de su misión pastoral en sus comunidades.

RESISTENCIAS AL PONER EN MARCHA PROYECTOS DE COMPASIÓN

La iglesia que dirijo en Compton, California, se estableció en corto tiempo, tenía un historial litúrgico y práctico en el que se dificultaba la implementación de nuevas ideas. La búsqueda de soluciones para hallar el campo de ministerio generó resistencia, como dicen al respecto los autores Christian A. Schwarz y Christoph Schalk:

> *Cuando comience a poner en práctica las metas cualitativas, empezará a encontrar problemas. Estos problemas pueden venir de factores externos (tales como la falta de espacio). Sin embargo, en muchos casos la resistencia surgirá de otros creyentes; un tipo de resistencia se debe sobre todo a la ignorancia, es sorprendente ver cómo se disuelve el escepticismo cuando uno se toma el tiempo necesario para explicar los principios del desarrollo natural de la iglesia en profundidad. Por desgracia, muy pocas de sus dificultades se encontrarán dentro de esta categoría. Parte de la resistencia se basa en dificultades psicológico-relacionales mientras que otra parte se debe a 'bloqueos de paradigmas'; gran parte de la oposición al desarrollo natural de la iglesia, a menudo formulada en lenguaje teológico, se debe en última instancia a los esquemas mentales de algunos cristianos [sic].* [3]

En todo proceso de cambios, como es normal, surgen preguntas, expectativas y dudas. Sin embargo, el deseo siempre será buscar la plataforma ministerial y el campo de acción misional. Como lo declara Ronald A. Heifetz:

> *La tarea más difícil y de mayor valor en el liderazgo puede ser [el establecimiento de] las estrategias de avance y el diseño de estrategias que promuevan la labor de adaptación.* [4]

---

[3] Schwarz, Christian A. y Schalk, Christoph, *Desarrollo natural de la iglesia en práctica.* (Barcelona: CLIE, 1997), 35.

[4] Ronald A. Heifetz, *Leadership without Easy Answers.* (Cambridge, MA: Harvard University Press, 1994), 23. [Traducido del ingles por el autor].

Muchas veces la tarea consiste en formularse la pregunta en cuanto a cómo ser efectivos en el contexto ministerial, aunque no se comprendiera en ese momento lo que ello implica.

Ministrando a nuestras comunidades en su contexto

El Libro de Apocalipsis declara:

> *Y nos has redimido para Dios con tu sangre, de todo linaje y lengua y pueblo y nación (Apocalipsis 5:9).*

En ciudades cosmopolitas, como es el caso de la ciudad de Los Ángeles, este pasaje bíblico cobra vívida realidad.

"Las iglesias hispanas" -dice Maldonado- "están diariamente en contacto con familias que han llegado a este país [Estados Unidos] recientemente o no tan reciente, y que están procesando asuntos propios de la transición. Los pastores a menudo tienen una entrada privilegiada a las familias en su congregación, los conocen de forma cercana."[5]

La comunidad inmigrante es un buen ejemplo del campo de compasión en que la iglesia debe de moverse en los Estados Unidos.

Normalmente la perspectiva de la congregación en las comunidades cristianas de Estados Unidos es integrar a muchas personas, a cuantas más mejor, con un solo objetivo: ganarles para Cristo y apoyarles en el proceso de adaptación y aculturación.

El proceso de adaptación y aculturación suele ser un reto aún mayor que el terrible viaje que sufren los inmigrantes.

> *Muchos son obligados a inmigrar por la pobreza, el hambre, la guerra, la discriminación racial o la persecución religiosa.* [6]

Esto invita a la oportunidad de ministrar a partir de textos bíblicos que sean referentes a la protección del Altísimo y al cuidado que Él tiene de los pobres. La tarea hermenéutica es pensar en la justicia social para el desprotegido, tales concep-

---

[5] Maldonado, 37.
[6] Ibid., 39.

tos debería regir la liturgia eclesiástica de todas las iglesias, independientemente de su contexto y demografía.

Algunos de los cantos preferidos en este contexto son los que hablan del sufrimiento —tales como: 'Cruzando un valle voy', 'Solo Dios hace al hombre feliz', 'No puede ser el mundo mi hogar'— ellos reflejan la experiencia de la iglesia que se identifica con su entorno.

Aún la himnología debe estar adaptada a la realidad de nuestro mundo, tanto como la predicación misma. Nuestra tarea es tratar de contextualizar lo más posible el texto bíblico y hacerlo vivo y práctico, a fin de que encarne la experiencia de "peregrinos" y "extranjeros" que somos todos los cristianos en el mundo.

Desafíos estructurales

Cuando una iglesia desea seriamente hacer algo en relación al tema misional de la comunidad, esta deberá hacer un inventario de los desafíos en que se incurre al entrar al terreno de la acción. Estos desafíos podrían ser, entre otras cosas, por ejemplo, la falta de un local propio y adecuado para los proyectos que se planean (como ya comentamos atrás); la falta de entrenamiento y de experiencia, etc. Y por supuesto, no debe pasarse por alto lo que tiene que ver con el estado anímico de la gente y la frustración cuando se están enumerando tales desafíos. Sin embargo, a fin de contrarrestar esto último, se deberán escudriñar los textos bíblicos que se pudieran identificar con la experiencia de la iglesia primitiva. Al estudiar, por ejemplo, las raíces históricas de la Iglesia de Antioquía en el libro de los Hechos y su experiencia como comunidad cristiana, como dice de ella Juan Francisco Martínez: "Iglesia de la periferia,"[7] se podrá aprender sobre los obstáculos funcionales que ellos enfrentaron. Como lo expresa Hechos 11:19-21:

> *Ahora bien, los que habían sido esparcidos a causa de la persecución que hubo con motivo de Esteban, pasaron hasta Fenicia,*

---

[7] Juan Martínez y Mark Lau Branson, "OD722: Liderazgo misional para un mundo multicultural" (curso, Fuller Theological Seminary, Pasadena, CA, 2009).

Chipre y Antioquía, no hablando a nadie la palabra, sino solo a los judíos. Pero había entre ellos unos varones de Chipre y de Cirene, los cuales, cuando entraron en Antioquía, hablaron también a los griegos, anunciando el evangelio del Señor Jesús. Y la mano del Señor estaba con ellos, y gran número creyó y se convirtió al Señor.

Al empezar a observar la forma de operar de esos creyentes, que fueron el resultado de la evangelización de los discípulos en tiempos de transición y persecución, la iglesia actual cobrará ánimo para superar los problemas estructurales que se les presenten. Leer y dialogar a la luz de la experiencia de los discípulos de Antioquía permitirá re-evaluar el nivel de motivación de la iglesia. Ello se lee en Hechos 13:1-3:

Había entonces en la iglesia que estaba en Antioquía, profetas y maestros: Bernabé, Simón el que se llamaba Níger, Lucio de Cirene, Manaén el que se había criado junto con Herodes el tetrarca, y Saulo. Ministrando éstos al Señor, y ayunando, dijo el Espíritu Santo: Apartadme a Bernabé y a Saulo para la obra a que los he llamado. Entonces, habiendo ayunado y orado, les impusieron las manos y los despidieron.

Se puede notar que esos discípulos no limitaron su planteamiento misionero por lo que les faltaba ni por carecer de los recursos de liderazgo apostólico mostrados en Jerusalén. Al contrario, actuaron en respuesta a la visión misional en el contexto de ellos. Tal clase de visión da la pauta para enfocarse en los recursos espirituales que proporciona el saber que Dios ha encomendado a la iglesia para que desarrolle su misión.

Retos y oportunidades al mudarse de edificio

Partiendo del hecho de que una iglesia se mude de un lugar a otro, ¿qué hacer en cuanto a su plataforma misional? Vemos el ejemplo de la iglesia primitiva. Ellos no tenían un edificio propio, eran perseguidos y andaban de un lugar a otro. Esto nos da pie a pensar que la mentalidad de la iglesia debería ser que eran peregrinos en el mundo.

Desde luego que se debe aprovechar los recursos que se tengan disponibles, y sin duda debe aprovecharse al máximo cuando las iglesias pertenecientes a una denominación tradicional provee organización a sus iglesias y ministros, siendo estos últimos casi siempre personas capacitadas y entrenadas para ese cargo, y aún provea de instalaciones adecuadas; sin embargo, las iglesias que no tengan esto, deben ver su propia experiencia como algo pedagógico.

Existe el caso de iglesia que tengan que mudarse en múltiples ocasiones debido a sus circunstancias particulares, en tal caso, en lugar de ver esto como una tragedia, es necesario profundizar en la comprensión bíblica sobre lo que es una iglesia en movimiento. Con esto en mente, es de gran utilidad estudiar el Nuevo Testamento y aprender de lo que era y significaba ser iglesia en movimiento. Juan Driver presenta una serie de explicaciones de diferentes imágenes de iglesias que, de alguna forma, explican la naturaleza y carácter de la misma.[8]

Una de estas imágenes habla del proceso de peregrinaje que puede experimentar una iglesia hasta la fecha de tener un edificio propio. Juan Driver, lo describe de esta forma: "Una imagen que juega un papel importante para la auto comprensión de la iglesia en el Nuevo Testamento la encontramos en la familia de términos generalmente traducidos como 'forasteros,' 'extranjeros' o 'que moran en tierra ajena."[9]

Una iglesia asi debe entenderse a sí misma como un grupo de peregrinos llevando la causa de Jesús a cualquier ciudad a la que se mueva. "En el mundo de habla griega, en el primer siglo, el extranjero «*pároikos*» era un peregrino que moraba en tierra ajena."[10]

Estrés de las iglesias en movimiento

El primer sentimiento que una iglesia experimenta al mudarse a una nueva localidad es el temor. Siente temor ante la sensa-

---

[8] Juan Driver, *Imágenes de una iglesia en misión,* (Guatemala: Ediciones Semilla, 1998), 3.
[9] Ibid., 41.
[10] Ibid.

ción de ser extraños y siente que reinicia en un nuevo contexto.

La tarea de conocer un contexto nuevo y plantearse cuestiones acerca de cómo responder misionalmente genera mucho estrés.

Los miembros de tales congregaciones tienen que verse en la necesidad constante de arreglar las instalaciones para adaptarlas a las reuniones y servicios. Son necesarias, por su puesto, actividades como restaurar, pintar, acomodar, construir plataformas e invertir muchísimo dinero; además de emplear voluntarios por innumerables horas de labor para preparar las estructuras rentadas.

De igual manera surgen inconformidades entre la feligresía al agotarse los ahorros y que se hagan infructíferas las actividades para recaudar fondos.

De alguna forma, la desilusión y la tristeza pueden dejar marcas y producir sentimientos encontrados. Es más, cuando llega la desilusión también llegan las preguntas, como lo dice Oscar García-Johnson:

> *La desilusión viene cuando lo auténtico confronta lo inauténtico. Entonces nos sentimos desilusionados y tendemos a adoptar una serie de conductas toxicas que buscan en el otro la causa de lo inauténtico.* [11]

Ante la realidad surgen oportunidades, por ello se puede decir que toda circunstancia arroja nuevas oportunidades. No todo es malo, sino también hay ganancias. Si se logra replantear nuestra mentalidad comenzaremos a ver que la transformación producto del cambio geográfico de una zona a otra, ofrece oportunidades únicas.

Entre estas oportunidades se podrá notar que el proceso de las mudanzas llevará a la congregación nuevas personas de cada localidad en que estuvo, nuevos recursos, además de una visión fresca y renovada. Todo esto hará que el grupo se una con un corazón dispuesto a servir y transitar el camino en bus-

[11] Oscar, García-Johnson, *Jesús, hazme como tú,* (Bogotá: Editorial Kerygma, 2010), 19.

ca de la zona de misión. Solo basta encontrar en la mente de Dios todas las oportunidades que cualquier circunstancia ofrece. Caminos no transitados y nuevo aprendizaje, nuevos amigos, y sobretodo, unidad en la iglesia ante cualquier desafío.

La meta de la iglesia después de todo no es comprar un edificio propio, sino la convicción de ver cumplida la promesa del Señor Jesucristo en cuanto a recibir la corona de la vida, la ciudadanía celestial, esa patria tan deseada y esperada por la cual se sigue hoy predicando y anunciando al Salvador Jesús.

Crecimiento integral sin distracciones ni excusas

Dios siempre ha estado y estará en actividad e invitando a su grey a que se una a su proyecto. La iglesia siempre debe estar activa, acorde al mensaje que proclama. Por eso, la tarea es que pese a los inconvenientes, la iglesia local debe aprender a vivir el evangelio en su dimensión integral. El reto es poder presentarlo, encarnarlo y proclamarlo de una manera activa.

El mensaje que habla y encarna la iglesia se puede ilustrar con la cita que Michael Green hiciera en su libro, *La iglesia local, agente de evangelización,* acerca de declaración de Mahatma Gandhi que hiciera a unos misioneros residentes en la India:

> *Se esfuerzan ustedes tanto que se olvidan que la rosa jamás invita a nadie a que la huela. Si es fragante, la gente cruzará el jardín y soportará las espinas para respirar el olor.* [12]

Dicha declaración contiene una gran verdad: se pueden dar excusas, refugiarse en las deficiencias y hasta convencer a la conciencia de que no se hace más porque no se tienen los recursos, las herramientas y el entrenamiento, pero lo que dijo Ghandi sigue retando a los creyentes en cuanto a la forma de hacer la misión.

Ahora bien, hablando del crecimiento integral, podemos decir, que en medio de cualquier proceso, se requiere una seria, concisa y precisa evaluación de qué es lo que la iglesia

---

[12] Michael Green, *La iglesia local, agente de evangelización.* (Buenos Aires: Nueva Creación, 1996), 99.

representa y el compromiso subyacente a la misión que ha adoptado. En este respecto,

> *Si uno es seguidor del Cristo que murió en la cruz, adoptará una forma de hacer trabajo misionero que resulte consecuente con el estilo misionero de Jesús.* [13]

Al evaluar la misión de los doce que presenta el Evangelio de Lucas se puede notar que Jesús se dirige a sus discípulos, diciéndoles:

> *No toméis nada para el camino, ni bordón, ni alforja, ni pan, ni dinero; ni llevéis dos túnicas (Lucas 9:3).*

El Maestro se refería a evitar las distracciones materiales y las excusas que podrían plantearse a la hora de predicar el evangelio. Refiriéndose al creyente de hoy, lo anterior quiere decir que hasta que éste no sea consciente de la urgencia del evangelio, no podrá tener ni desarrollar un planteamiento misional en ningún contexto.

No se puede desarrollar porque siempre habrá cosas que limiten las respuestas. Por eso hay que considerar los recursos que se tienen con ojos redentores, viendo al pueblo —que ha caminado, ha encarnado y ha apoyado— con corazón agradecido. Además de ello, considerando las crisis que se han presentado y que son escuelas de enseñanzas para unir, fortalecer y evaluar el recurso más importante: el "mensaje" que proclama la iglesia.

Eso lleva a ver la necesidad de un crecimiento vertical, horizontal e integral como principio para desarrollar un planteamiento misional que resulte en un crecimiento saludable y natural. Planteamiento que sólo será posible si la iglesia tiene un elemento básico: el crecimiento del liderazgo. Ese crecimiento conducirá a la implementación misional con una visión que encarne la misión de Dios.

---

[13] Pedro Arana Quiroz, Samuel Escobar, y C. René Padilla, *El trino Dios y la misión integral* (Buenos Aires: Kairos, 2003), 102.

EFECTO PEREGRINO Y ESTRATEGIAS DE CRECIMIENTO

Al hacer una reflexión en los pasajes bíblicos adecuados, se obtiene la pauta para que las congregaciones locales entiendan cuál es su verdadera misión en esta tierra.

Obligatoriamente, al hacer tal reflexión, llegaremos a la conclusión de que somos "peregrinos" en la tierra, y este concepto básico es el fundamento de las dinámicas y la verdadera vocación a la que se debe enfrentar el pueblo de Dios en cualquier contexto que viva, ministre y sirva. Juan Driver la define de la siguiente manera:

> *La imagen de forastero se destaca en el importante texto de Hebreos 11:9ss. La idea básica de que el pueblo de Dios mora en tierra ajena es subrayada en este pasaje con el uso de una serie de términos: "tierra ajena" («allótrios», 11:9), "extranjeros" («xénos», 11:13) y 'peregrinos' («parapídemoi», 11:9)... la interpretación que generalmente se le ha asignado a este pasaje es la siguiente: ya que él, un día, llegará a ser ciudadano de la ciudad celestial, ahora reside como extranjero en la tierra.* [14]

Antes que ceder a las influencias del triunfalismo evangelístico y a las terminologías de conquista religiosa que coaccionan, distraen, confunden y alejan a la iglesia de una verdadera y correcta eclesiología misional, es indispensable sentir el corazón de Dios respecto a los seres humanos. Y si lo analizamos, ¿cuál es ese sentir? La respuesta a esta pregunta únicamente puede encontrarse en la Biblia.

Los "extranjeros" somos un grupo en el mundo que sigue las leyes del cielo antes que las de una sociedad corrompida. Es un grupo unido que colabora mutuamente, que demuestra amor los unos por los otros. Esta es su estrategia más importante de crecimiento.

Por lo que se lee en el Nuevo Testamento, esa era la manera en que actuaban los primeros discípulos, como se describe en Hechos 2:46-47:

> *Y perseverando unánimes cada día en el templo, y partiendo el*

---

[14] Driver, *Imágenes de una iglesia en misión*, 43.

> *pan en las casas, comían juntos con alegría y sencillez de corazón, alabando a Dios, y teniendo favor con todo el pueblo. Y el Señor añadía cada día a la iglesia los que habían de ser salvos.*

Cada iglesia puede tener sus estrategias particulares de crecimiento, pero ninguna estrategia humana podrá sustituir la divina. La estrategia de Dios para la iglesia es que nos amemos entre nosotros y que mostremos el amor de Dios para el mundo.

CAPÍTULO 8

ANÁLISIS DE NUESTRA COMUNIDAD

En este capítulo aprenderemos conceptos y estrategias útiles para prepararnos bien en nuestra tarea misional. Algunos pudieren pensar que basta con iniciar un proyecto y esperar el respaldo de Dios. Sin embargo, es necesario aprovechar bien las ideas sugeridas en este capítulo a fin de ser más efectivos en nuestra tarea.

Iremos desde cómo realizar un estudio efectivo del área en la que estaremos trabajando a un método efectivo para evaluar los resultados. Tales ejercicios demostrarán nuestra seriedad en el proyecto y brindarán ánimo a los participantes.

Dios siempre estará a favor de la preparación, y aunque lo más importante es la acción decidida, en la medida en que enfrentemos las realidades con la debida anticipación, podremos asi garantizar nuestro éxito.

Uno de los objetivos más importantes de estos estudios será identificar las oportunidades que cierta comunidad presenta para un ministerio específico.

La radiografía de la ciudad en que se ministra

Con el fin de entender mejor el sitio que estamos cubriendo con el evangelio y en donde queremos ministrar, es necesario identificar los "signos de vida y signos de muerte"[1] que se

[1] Juan F. Martínez, "02722: Liderazgo misional para un mundo multicultural" (curso, Fuller Theological Seminary, Pasadena, septiembre de 2010).

encuentran en él. Este análisis nos permitirá comprender mejor el perfil citadino y la plataforma social y geográfica del planteamiento misional.

Existen páginas de internet en donde podemos obtener información acerca de la ciudad que estamos estudiando. Una de estas páginas, por ejemplo, es www.neighborhoodscout.com en donde podemos obtener datos tales como costos de las propiedades, demografía, datos estadísticos del crimen y el ranking de las escuelas, etc. Asimismo podemos conocer la distribución racial, historia, tendencias, tasas de crecimiento poblacional, inmigración, comercio, y muchos otros datos útiles que nos ayudarán a entender a las personas que viven en este lugar. Podemos darnos cuenta de los principales acontecimientos, que personajes importantes vivieron ahí y muchos otros datos más, pero mayormente nos interesará identificar en donde están los "Ghettos"[2] o "Barrios",[3] donde vive la gente de cierta etnia en particular. Un dato significativo para una iglesia de habla hispana, por ejemplo, es el crecimiento de la población latina en la ciudad y de dónde exactamente son procedentes los que residen ahí. Los datos obvios observables son: la cantidad de negocios dentro de la ciudad que corresponden a cierta etnia; las escuelas y los parques; y el estado y orientación de la política. El dato educativo también es sumamente importante: quienes concluyen sus estudios de secundaria y universidad y quienes realmente están haciendo algo para mejorar su futuro o tan sólo, en su nueva casa, siguen con la ilusión de "beber de la copa de la esperanza."[4]

¿De qué manera puede ayudar la iglesia a la comunidad con su experiencia liberadora y transformadora? Paulo Freire afirma lo siguiente:

---

[2] Mirrian Webster. "Definición, Ghetto," http://www.merriam-webster.com/dictionary/ghetto. Nombre aplicado a comunidades en riesgo, sea por la violencia, la pobreza o por pocos recursos en la comunidad.

[3] "Barrio". Término muy común entre los latinos que define un lugar de residencia caracterizado por un contexto muy peculiar, tal como pandillas, zonas con características únicas y con historias, personajes y costumbres propias de la comunidad.

[4] "Copa de la esperanza", Tomado de Oscar García-Johnson.

Quién mejor que los oprimidos estará preparado para entender el significado terrible de una sociedad opresora. [5]

Hay ocasiones en que una comunidad se encuentra en un cruce sin salida, ha inmigrado a una nueva cultura, con costumbres y leyes que desconoce y esto le dificulta totalmente el camino al progreso.

Es necesario también conocer las leyes de la ciudad, y la historia de la evolución de éstas nos dará una idea de las necesidades existentes.

Necesidades específicas de los oprimidos

Es necesario identificar el tipo de necesidad específica prevaleciente en una comunidad. Por ejemplo, en cierta comunidad pudiere haber un alto índice de madres viudas y solteras. Quizá estas madres solteras tienen a sus esposos en la cárcel, y quizá esto se deba a problemas con las drogas. Tenemos que identificar el segmento de la población que tiene necesidades especiales. Una idea para darnos cuenta de esto es acudir a los bancos de comida en la ciudad para observar el tipo de personas que acude.

Al conocer las necesidades específicas de una comunidad la iglesia local intentará responder a éstas a través de proyectos bien dirigidos.

La iglesia podrá preparar un grupo específico de miembros para trabajar con estas personas, el cual deberá desarrollar las investigaciones necesarias para poder brindar un proyecto de asistencia social eficiente y aún capaz de brindar consejos prácticos que ayuden a estas personas a ocuparse en alguna actividad lucrativa. Es importante que sean diseñadas estas estrategias, para que, aunque la asistencia esté siempre disponible, se ayude a estas personas a salir de su dependencia ya del sistema de gobierno, ya del mismo programa de asistencia que se brinda a ellos a través de la iglesia. Todo trabajo o actividad lucrativa ayudará en gran medida a estas

---

[5] Paulo Freire, *Pedagogía del oprimido*, ed. 53a. edición. (México D.F.: Siglo Veintiuno, 1970), 34.

personas a sentirse útiles. El programa diseñado por la iglesia no sólo debe brindar ayuda a los necesitados en su tiempo de necesidad sino también deberá equiparles y entrenarles para avanzar en sus vidas. Y que ellos sientan que la iglesia les está acompañando en todo este proceso.

Una lectura teológica de la comunidad

La importancia de conocer la ciudad en la que se ministra es clave para poder responder misionalmente. La mirada con que se lee la ciudad afecta la visión y esta, a su vez, influencia la respuesta dada, como lo comenta Kathryn Tanner:

> *Tan solo ser parte de una comunidad no es en sí una garantía de un suelo fértil para el espíritu, después de todo. Mucho depende de la personalidad y viabilidad de la comunidad.* [6]

Las preguntas claves son: ¿Cuáles son las características propias que definen a mi ciudad?, y ¿cuál es la historia de estas características propias?

Es tarea de la iglesia local poder leer esa historia a fin de desarrollar un marco correcto de interpretación que le permita generar un perfil acertado y franco del carácter de la ciudad.

Hay que tener claro lo siguiente: si la teología afecta lo que la persona lee, la escatología afecta la respuesta. Por ello, si la visión que se tenga de la ciudad es caótica e inalcanzable por sus maldades, se puede caer en la trampa de que la iglesia se vea sin posibilidades de hacer nada.

La tarea que se tiene por delante consiste en leer adecuadamente lo que ocurre en la ciudad. Por tanto, se debe considerar que cada ciudad tiene una historia, unas marcas, unos signos de vida y también signos de muerte.[7] Lo que se pretende con esa lectura es observar las estructuras sociales, políticas y espirituales de la ciudad. Ello con el fin de ayudar a interpretar las razones del comportamiento comunitario.

---

[6] Kathryn Tanner, *Spirit in the Cities: Searching for Soul in the Urban Landscape.* (Minneapolis: Fortress Press, 2004), 67. [Traducido del ingles por el autor]."

[7] Idea adquirida en la clase de Fuller Theological Seminary, Juan F. Martínez, 2011.

La tendencia entonces es que si en una ciudad hay carencia de recursos sociales, económicos y educativos, las comunidades sufrirán los efectos drásticos de la segregación social, como lo afirma Mark R. Gornik:

> *Lo más indicativo de la vida en el interior de la ciudad es el costo humano de vivir en barrios con viviendas precarias. El riesgo ambiental, las escuelas deficientes, las pobres oportunidades de trabajo y los servicios esenciales inadecuados casi siempre [están presentes]. Con demasiada frecuencia, la muerte llega antes de tiempo en el interior de la ciudad. Estudios de salud pública muestran congruentemente que esas variables —bajo estatus social y concentración de la pobreza— se asocian a la disminución de la longevidad, y sugieren que las fuerzas sociales y económicas relacionadas con los barrios son los principales factores.* [8]

Cómo verificar una buena lectura de la ciudad

Lo antes dicho apunta a la realidad de las comunidades pobres de las grandes ciudades y los efectos que puede tener la falta de recursos en ellas. Eso obliga a hacer una lectura seria y profunda. Para ello se requerirá efectuar la lectura teológica desde dos puntos de vista: La lectura exterior y la lectura interior.

Una lectura exterior tiene relación con lo que se puede oír, visualizar y todo cuando afecta el entendimiento exterior de un lugar. Dicho entendimiento a su vez es afectado por la lectura interior, es decir, las barreras que se han construido, la idiosincrasia en medio de la cual se ministra y la forma de hacer hermenéutica a los textos bíblicos.

El desafío es integrar ambas formas de hacer la lectura teológica de la ciudad. Se lee para conocer la identidad de un lugar, pero también se lee para ver la participación e integración de la iglesia en dicho lugar.

Esa lectura, por lo tanto, intenta crear un entendimiento acertado de la ciudad. Podemos así ver los retos que tenemos, por ejemplo, la identificación con el dolor y el viacrucis de un pueblo que sufre, que da señales de hambre y sed de justicia

[8] Gornik, *To Live in Peace.*,4.

aun hoy, en el siglo veintiuno. Reconocer lo anterior es mérito de una buena lectura.

El gran desafío que plantea dicha lectura es ver, así como viera Moisés la situación de Israel, una situación de esclavitud y dolor. La forma en que él leyó la realidad de su pueblo debe orientar a aquellos que deseen participar en sus ministerios locales. Moisés interpretó la situación de Israel y le dio nuevo significado, de modo que entendieran el mensaje de Dios para ellos.

Es así que Dios le dice al libertador Moisés:

> *El clamor, pues, de los hijos de Israel ha venido delante de mí, y también he visto la opresión con que los egipcios los oprimen. Ven, por tanto, ahora, y te enviaré a Faraón, para que saques de Egipto a mi pueblo, los hijos de Israel (Éxodo 3:9-10).*

Ese es el llamado para la iglesia en todo el mundo. Dios ha escuchado el clamor de aquellos que sufren, sienten y necesitan ser rescatados. Dios estableció su iglesia para que sienta, mire y actúe en medio de un mundo quebrantado.

Signos de vida y de muerte en la comunidad

Finalmente llegamos a la identificación de los signos de vida y de muerte presentes en una comunidad. Útil para ello es simplemente leer los diarios y noticieros de la ciudad a fin de encontrar los focos problemáticos prevalecientes en ella. Por ejemplo, si uno de los problemas que predomina es la prostitución, se observará frecuentemente en el diario local noticias como esta:

> *Dos chicas forzadas a la prostitución fueron puestas en custodia preventiva mientras cinco adultos podrían enfrentar cargos criminales como resultado de una investigación dirigida por un diputado y un detective de la estación de policía local.* [9]

Ante tal desafío, ¿existe un ministerio en la ciudad para ayudar a tales personas?

---

[9] 4 Southern California. "Child prostitutes rescued in Compton sex trafficking." http://www.nbclosangeles.com/news/local/Child-Prostitutes-Rescued-Compton-Sex-Trafficking-Case-221944441. (Acceso 28 de julio de 2015, 10:24 A.M.).

Ahora bien, los signos de muerte tiene que ver con la localización específicamente de los lugares en donde se trafica droga, moteles de prostitución, barrios con pandillas, etc., o simplemente lugares en donde no existen iglesias cristianas. ¿Cuál es la historia de esos lugares o grupos problemáticos? ¿En que sitios se han perpetuado la mayor cantidad de homicidios?, etc.

Es por supuesto necesario ir personalmente a esos lugares, recorrer las calles y comprender los retos a los que realmente nos estamos enfrentando. Ir a los sitios marginados por la pobreza y la violencia nos dará un entendimiento claro de la situación. Ver, oler y sentir las estructuras deterioradas y el ambiente de poca esperanza que sufre la población de esos lugares únicamente es posible al hablar con las personas que día a día están viviendo en carne propia estos signos de muerte.

Perfil misionológico de la iglesia a la luz de las necesidades de la comunidad

La iglesia en general es lo que vive, y predica lo que es. El reto básico para un acercamiento apropiado a la comunidad apunta a que la grey se vea dentro de la ciudad, dentro del marco cristológico; es decir, una iglesia "de", "para" o "dentro" de la ciudad.[10] Una congregación que tenga sentido de pertenencia o arraigo a la comunidad.

Si la iglesia se ve como una congregación dentro de una ciudad pero sin integrarse a las necesidades que la rodean, está de hecho fallando a sus principios más básicos, como lo describe el evangelio. La iglesia es retada a ser luz en medio de las tinieblas (Mateo 5:14).

Si la iglesia falta al principio mismo de lo que es ser "Luz" y "Sal" de la tierra (Mateo 5:13-14), está destinada a faltar a la comisión que recibió. Este pudiera ser el caso de algunas congregaciones que, aunque ubicadas en una zona postal particular, la mayoría de sus miembros viajan distancias considera-

[10] Clase Ministerio Urbano. Fuller Theological Seminary. Clase Ministerio Urbano, Fuller Theological Seminary, Roberto Colo, Oscar García-Johnson, 2014.

bles para asistir a sus servicios. Tales iglesias no están comprometidas con su contexto misional y las necesidades de la comunidad inmediata que le rodea les son ajenas.

En ese sentido, una iglesia puede sólo estar presente en estructura física, pero ausente en la acción misional. Como lo afirma Perkins:

> *En nuestras calles, los residentes más inamistosos son los más involucrados en sus iglesias.* [11]

El reto es que la iglesia esté en la capacidad de darle vida al diseño de Dios para su pueblo. Una verdadera iglesia es aquella

> *...en la cual el Espíritu de Dios está en libertad de actuar para que la Palabra de Dios se encarne en ella, una iglesia que avanza en el proceso de transformación propio y en la comunidad en que sirve.* [12]

Es por ello que cada iglesia debe preguntarse cómo se quiere ver en su vecindario. La respuesta a ello tendrá mucho que ver con cómo la iglesia lea las Escrituras, como lo dice Ray Bakke:

> *Los vecindarios urbanos no son pedazos inconexos de geografía que se dieron por casualidad, las funciones de las ciudades afectan los vecindarios y confrontan a las congregaciones con oportunidades.* [13]

Es decir, una iglesia en acción se identifica a sí misma como parte de la comunidad a la que sirve; solo así podrá ser fiel a lo ordenado por su Señor. Cuando la iglesia se enfrenta a esa realidad puede desarrollar con humildad una teología del reino que responda a las necesidades que observa en su contexto.

En muchos casos la congregación necesita reenfocarse. Eso significa el planteamiento de preguntas misionales que puedan ser respondidas dentro del marco de acción por la comunidad.

El resultado de este reenfoque será el surgimiento de in-

---

[11] Perkins, *Restoring At-Risk Communities*, 86.
[12] Padilla y Yamamori, 14.
[13] Ray Bakke, *El cristiano en la ciudad* (México: Kyrios, 1987), 101.

quietudes en cuanto a cómo ayudar a las personas, predicarles a Cristo y así cumplir con el mandato del Señor.

Complejidad de integración a la comunidad eclesiástica

Es innegable que existen muchas congregaciones que carecen de todo tipo de visión misional. Sin embargo, es nuestro deber invitar a todas las iglesias que tenemos cerca a participar en nuestros proyectos. Es decir, debemos intentar integrarles. El Señor desea que tengamos unidad y no es nada correcto que queramos emprender proyectos comunitarios nosotros solos. Indudablemente que integrar a otras congregaciones es algo complejo, sin embargo, esto debe ser parte de los puntos de la estrategia a desarrollar.

No podemos, por otro lado, obligar a una congregación a participar y a unirse con nosotros, sin embargo, es necesario hacer nuestro mejor esfuerzo. Se da el caso de congregaciones que parecen estar en contra de la Gran Comisión y manifiestan celo contra otras iglesias que emprenden proyectos de ayuda. Debemos orar que de alguna manera podamos involucrar a tantas iglesias sea posible a fin de crear armonía en el cuerpo de Cristo.

Es necesario acercarse a las alianzas y asociaciones de pastores de la ciudad y así tratar de involucrar a algunos de ellos si esto fuere posible.

Tal acercamiento podrá producir resultados positivos mayormente cuando encontramos pastores que ya han desarrollado proyectos parecidos a los nuestros. Ellos conocerán de algunos de los desafíos claves a la hora de la implantación, tales como leyes municipales y estatales, o bien programas de ayuda para esfuerzos comunitarios y becas de organizaciones privadas.

Por otro lado, la falta de participación de estas iglesias no deberá ser factor para retrasar nuestra visión ni reducirla, pues fue Dios quien nos la ha dado; y siendo que fue Él mismo quien lo ha ordenado, Él se encargará de enseñarnos la forma de implementar y desarrollar nuestra visión misional.

Establecimiento de mecanismos de evaluación

Si bien es muy importante la implantación de estrategias, llámese programas de acción para ser luz dentro de una comunidad, es también de vital importancia establecer a su vez un mecanismo de evaluación. Es decir, todo programa y estrategia emprendida deberá ser evaluada periódicamente en un tiempo razonable para discutir los resultados y realizar replanteamientos.

Se necesita un autoanálisis. Respecto a eso, Van Engen declara:

> *El administrador de la iglesia debe preocuparse de que la vida de la congregación encaje o engrane en su respectivo contexto. Un deber administrativo de los líderes es evaluar constantemente la forma, estructura y estilo de vida de su congregación en relación al contexto socio-cultural que desea alcanzar. Si nos basamos en la "teoría de sistemas", el papel del administrador es claro; todas las decisiones tomadas deberán, de alguna forma, contribuir a que la iglesia sea más "nativa" y dinámicamente más de acuerdo a su cultura.*
>
> *Los buenos líderes administrativos deben examinar el impacto del entorno en la congregación, si su influencia positiva o negativa cambia al cuerpo, y si la iglesia es una influencia transformadora en su contexto. Es así como el "ciclo de retroalimentación" viene a ser una importante herramienta administrativa para medir la acción de la iglesia en el cumplimiento de su papel transformador. Anderson y Jones señalan que el factor más importante en la formación de la estructura congregacional debe ser la naturaleza de la comunidad que la rodea.* [14]

Naturalmente en esta evaluación se revisan los objetivos iniciales, se comprueba la capacidad de la congregación, y escriben las lecciones aprendidas. Los errores y aciertos sirven para establecer procesos acerca de programa mismo y de próximos emprendimientos misionales en la comunidad.

Limitaciones de un proyecto misional

Mencionaremos ahora algunos de los principales limitantes en el momento de establecer un proyecto misional:

---

[14] Charles Van Engen, *El pueblo misionero de Dios* (Grand Rapids: Libros Desafío, 2004), 203.

1. La teología

La teología de toda congregación afecta en gran medida las respuestas misionales. Si la congregación tiene una teología en donde los conceptos misionales no embonan bien con ella, será muy difícil desarrollar algún proyecto con éxito.

2. Un proyecto se ve limitado por el conocimiento

Es indispensable que para cada proyecto misional la iglesia de empaque de todo el conocimiento que tenga que ver con la eficacia y éxito del mismo. El conocimiento siempre será una limitante y un punto pivote para el éxito o fracaso de cualquier esfuerzo.

3. Experiencia

Es natural que se cometan errores en cualquier proyecto nuevo. Se aprende con la experiencia, por lo que ninguna iglesia deberá intimidarse ante la falta de experiencia. Una vez empapada con todo el conocimiento necesario y a la mano, el proyecto misional se emprenderá, y la falta de experiencia, en todos los casos, también será una limitante.

4. Lo espiritual

La iglesia, para que pueda mantenerse en la visión de Dios necesitará tener una vida de oración. A través de la oración y el ayuno Dios fortalecerá la visión de la iglesia y dará nuevas formas y estrategias para lograrla. Por supuesto que la meta principal después de todos los esfuerzos será que las almas vengan a Cristo y que se consoliden en la iglesia. Si una congregación se reúne para orar y clamar a Dios por eso, el Señor hará la obra en los corazones. La parte espiritual siempre será una limitante también, puesto que en la medida que la iglesia ore a Dios con sinceridad, también los resultados serán posibles.

Buenas prácticas durante y después del programa

Es útil que durante y después del programa misional se adopten algunas prácticas que fortalecerán el grupo en la misión. Estas pueden ser:

1. **Testimonios de agradecimiento:** es muy importante que

se hagan públicos todos los triunfos que Dios ha dado a través del programa misional. Dios desea que seamos agradecidos, en primer lugar; la gente se anima mucho cuando escucha buenas noticias acerca de lo que está sucediendo con su esfuerzo.

2. **Reuniones de oración**: los esfuerzos de toda una vida nunca podrán compararse con el mover de Dios en un segundo. Es indispensable que la iglesia siempre tenga presente que la clave del éxito no está sólo el la eficacia del programa, ni en la preparación y demás componentes -que aunque importantes- siempre la clave estará en el mover de Dios.
3. **Reuniones de renovación**: una sugerencia interesante es hacer reuniones de renovación de la visión basándonos en la palabra de Dios. Estas reuniones pueden consistir, por ejemplo, en *"lectio divina"*[15] sobre pasajes seleccionados en el Libro de Nehemías (capítulos 1 al 6). Las conversaciones y momentos de quietud en meditación serán de gran utilidad, pues deberán tener como uno de sus objetivos generar compromisos por parte de los asistentes con la agenda misional.
4. **Fortalecimiento de la enseñanza en temas de liderazgo**: puesto que los proyectos misionales involucran una buena dosis de entendimiento sobre los temas de liderazgo, será importante que la iglesia tome cursos y se involucre en seminarios de capacitación en esta área. Tal conocimiento proveerá nuevas herramientas para evaluar el carácter del liderazgo tan necesario para producir cambios.

---

[15] *Lectio divina*, práctica que consiste en leer un pasaje seleccionado de la Biblia, orar y meditar sobre lo que se ha entendido en grupo, con el fin de buscar una interpretación en común. Dicha práctica fue adoptada de los ejercicios como parte del programa doctoral en el Seminario Teológico Fuller.

EL LIDERAZGO EN LA IGLESIA PARA LA FUNCIÓN MISIONAL

CAPÍTULO 9

Este capítulo describe la comunicación que se ha creado entre la comunidad y la iglesia para realizar una estrategia misional. También expone las características escriturales de la visión de un liderazgo bíblico sensible a las necesidades de los más desprotegidos de la sociedad.

UN LIDERAZGO MISIONAL COMPROMETIDO CON LA COMUNIDAD

La iglesia en la actualidad pasa por una serie de retos y cambios paradigmáticos difíciles de entender.[1] En esta sociedad postmoderna se mueven poderes diversos. Por lo tanto, para que los líderes participen en la misión de Dios necesitan reconocer que son llamados a ser testigos en todo contexto, pues esto les hará impactar tanto a los individuos como a las estructuras sociales.

No obstante, al no entender esos cambios, las iglesias son desestabilizadas en su llamado y vocación, así como orientadas a responder a la misión desde perspectivas ajenas a la misión misma.

Por ello, se requiere una capacitación del liderazgo, la cual

[1] Martínez y García-Johnson, "OD777: Promoviendo transformación misional bíblica" (curso, Fuller Theological Seminary, Pasadena, 2012).

es de suma importancia en las sociedades en transición. Sin embargo, dicha capacitación debe ser cuidadosa, ya que muchos han caído en la tiranía de lo novedoso, repitiendo modelos ajenos a su contexto e implementando estrategias de mercadeo para resolver la crisis en las iglesias...[2]

Eso hace pensar que el liderazgo necesita reenfocarse en principios claves y bíblicos acerca de cómo impactar a las sociedades de contextos postmodernos y neopaganos. Sin embargo, al no entender esos desafíos, Eddie Gibbs indica:

> *Los líderes de las iglesias fácilmente pueden perder el testimonio que les distingue, además de su postura profética. Los líderes dentro de sociedades [en cambio] suelen reflejar los valores de la sociedad en lugar de actuar como sal, luz y levadura: sal para dar sabor y purificar; la luz para que alumbre y guíe; y levadura, que es lo que puede capacitarnos para ejercer una influencia que vaya mucho mas allá de su verdadera condición.* [3]

Se puede decir, por lo tanto, que el reto es grande y que el liderazgo tiene que estar consciente de lo que ocurre en el mundo. Así podrá orientar acertadamente a la iglesia para que cumpla la misión de Dios. En un mundo que cada día refleja una iglesia cada vez más marginada de la sociedad en la que ministra, se requiere un liderazgo capaz de comprender misionalmente lo que está pasando. Esto principalmente si se quiere ministrar en una esfera multicultural, como por ejemplo, la sociedad estadounidense. Juan Martínez indica:

> *Los líderes eficaces en la comunidad latina reorientan sus ministerios para responder a estos cambios.* [4]

Evaluando el liderazgo misional

Uno de los componentes primordiales para tener una visión misional clara en una comunidad determinada, es evaluar las bases sobre las cuales se sostiene el liderazgo de la iglesia local, es decir, analizar bajo qué plataforma se ha servido en el pasado.

---

[3] Gibbs, *La iglesia del futuro*, 23.

[4] Juan F Martínez, *Caminando entre el pueblo* (Nashville: Abingdon, 2008), 13.

Existe una filosofía actual en cada miembro del liderazgo acerca de lo teológico y pastoral. También la historia de la iglesia deja sus marcas en la estructura y modo de hacer las cosas de cada congregación. Es necesario tomar en consideración estos aspectos a la hora de realizar esta evaluación.

En ocasiones, aunque el liderazgo de la iglesia local esté lleno de esperanza y humildad, puede caer en estancamiento, cuando se hacen las cosas de igual manera año tras año. Se tiene que evaluar entonces, si las cosas que se están haciendo realmente traen algún valor al reino de Dios o no.

El entendimiento misional de la iglesia local comenzará cuando ésta comience a ver su comunidad como un campo misionero.

Esto llevará a la reflexión y al diálogo dentro de sí misma, y tendrá como fin la elaboración una estrategia de misión.

Cada iglesia normalmente sabe que necesita activarse, pero requiere una plataforma, es decir, la elaboración de un planteamiento misional novedoso. Es en ese periodo que nace la necesidad de pensar en modelos de liderazgo pertinentes para dar formación a la iglesia local en función de su vocación por la comunidad.

Muchas veces el modelo tradicional de liderazgo, por el cual la iglesia fue formada, requiere un planteamiento novedoso y renovado. La congregación tiene que salir de la dependencia de los ministerios internos, es decir, los ejercidos dentro de las cuatro paredes del templo; y emigrar, de las actividades orientadas solamente a mantener al grupo, a aquellas actividades que lo expongan [y enfoquen] a un ministerio para la comunidad del entorno. En otras palabras, la creación de ministerios que trabajen dentro de la comunidad.

Definitivamente no se trata de cambiar por cambiar, o pensar que los cambios por sí solos traerán el fruto deseado. De ello Alan J. Roxburgh y Fred Romanuk sugieren algo sobre el entrenamiento que los pastores clásicamente reciben, ellos afirman:

> *Las habilidades de liderazgo pastoral en las que la mayoría de los pastores son entrenados clásicamente no está mal, pero el*

> *nivel de cambios discontinuos hace que muchos de estas [habilidades] sean insuficientes o totalmente inútiles.* [5]

Un cambio discontinuo se define como un cambio no incremental y repentino que amenaza la autoridad existente o tradicional o estructura de poder, ya que altera drásticamente la forma en que las cosas se hacen actualmente o se han hecho durante años.

En muchas ocasiones existe una discontinuidad en los cambios ideológicos (aunque también podrían ser de otra índole, p. ej. físicos o de lugar), y esto dificulta el lanzamiento de la tarea misional porque no existe una verdadera plataforma.

Por otro lado, el mundo alrededor de la iglesia cambia, por lo cual se requiere que la congregación y el liderazgo busquen los recursos que les permitan tener verdadera relevancia en su comunidad.

Todo grupo de liderazgo debe estar capacitado para el cambio, tanto en las prácticas pastorales, como en los cambios dentro de la sociedad.

Estos cambios discontinuos o bruscos podrían ser la renovación o adopción de programas nuevos, por ejemplo, y una buena educación del liderazgo en cuanto a una filosofía de cambio es muy importante.

Herramientas para la evaluación

Existen algunas herramientas que pueden ser útiles con el fin de preparar el terreno en cuanto a la implementación de un cambio a nivel misional. Una de estas herramientas es el PF16.[6] El PF16 es un examen de personalidad de liderazgo que nos puede ayudar a tener una noción más clara del perfil de liderazgo en una persona. Dicho examen evalúa diversos factores psicológicos y consiste en numerar porcentajes en cuatro áreas que revelan un parámetro de evaluación al que en este examen se le llama "disponibilidad". Esta evaluación nos ayuda a entender la personalidad de un individuo, sus raíces y su

---

[5] Roxburgh y Romanuk, 11. [Traducido del inglés por el editor].

[6] PF16, Examen que consiste en analizar los factores de personalidad.

poder predictivo, y además nos retan a trabajar en mejorar las áreas deficientes. El examen se puede hacer para todos los miembros de la iglesia (incluyendo el pastor principal) y así obtener conclusiones de tendencias y áreas de oportunidad en el grupo entero.

Otra herramienta que pudiere ser útil y contribuir al proceso misional de la iglesia es la encuesta sobre cómo leer mi ciudad. Leer la ciudad y buscar la forma de hacer presencia positiva más allá de lo tradicional, ayuda a desarrollar un entendimiento del perfil de liderazgo que requieren las iglesias misionales. Es decir, un liderazgo superior al convencional está dispuesto a arriesgarse a experimentar lo nuevo. Estudiar la ciudad nos ayuda a desarrollar nuevas pasiones, sentimientos que nos ayudarán en la misión, tal como lo expresa Ronald A. Heifetz cuando dice:

> *El liderazgo despierta pasiones. El ejercicio y el estudio del liderazgo revuelven sentimientos porque el liderazgo implica nuestros valores.*[7]

Por consiguiente, lo que se buscaba es capacitar al liderazgo con las actitudes correctas para moverse en la dirección correcta.

Otra herramienta podría ser, dentro del proceso misional, desarrollar una encuesta acerca de los antecedentes de la membresía. Ella consiste en un cuestionario para cada miembro de la congregación como pauta inicial, en el que se hacen preguntas generales y específicas orientadas a descubrir tres cosas básicas: primero, la trayectoria de cada miembro de la congregación en la iglesia local. Segundo, la presentación de la necesidad de una renovación. Tercero, desarrollar una noción en cuanto a cuál es el perfil de liderazgo que la iglesia tiene en ese momento y qué ajustes son necesarios para convertirse en una iglesia misional.

Cambio de estructuras fijas a movimientos relacionales

Indudablemente tiene que estudiarse la cultura imperante en cada comunidad cristiana, sin embargo, algo que pudiere ser

---

[7] Heifetz, *Leadership Without Easy Answer*. [Traducido por el autor].

muy útil para despertar la conciencia misional en la iglesia es cambiar las estructuras fijas a movimientos relacionales.

Este cambio inicia con cambiar el vocabulario dentro de la iglesia. Cambiar el vocabulario puede dar frutos muy positivos en nuestra tarea misional. Un ejemplo de este cambio de lenguaje es la forma en que llamamos a los departamentos y a sus líderes. Los cambios de lenguaje tradicional en líderes departamentales como los de la escuela dominical, caballeros, damas y jóvenes se pueden llamar "Grupos de acción misional".

Asimismo, deben reevaluarse las formas de operar de dichos departamentos (u otros comités), para buscar formas de operar más compatiblemente con la tarea misional; es decir, nuevas maneras de servir a la comunidad.

Por otro lado, para cada persona, es clave evaluar los criterios en cuanto a los dones de servicio. Ello obligará a descubrir la existencia de personas con talentos para servir a las madres viudas y solteras, huérfanos, indigentes y demás desamparados y desprotegidos dentro de una comunidad. De esta manera se descubrirán destrezas muy útiles, por ejemplo personas capaces de la ejecución de talleres básicos para aprender a coser a máquina, bordar a mano, cocinar, entre otras cosas.

Cuando se pongan en práctica estas recomendaciones (y otras quizá sugeridas en otros libros) se estará a las puertas de un cambio desde las estructuras fijas a movimientos relacionales. Margaret J. Wheatley sugiere:

> *Para vivir en un mundo cuantitativo, y para tejer con facilidad y gracia, tenemos que cambiar lo que hacemos. Necesitamos menos descripciones de tareas y aprender a facilitar el proceso. Tenemos que ser sabios en cuanto a cómo fomentar relaciones, cómo promover crecimiento y desarrollo. Todos nosotros necesitamos ser mejores para escuchar al conversar, respetando mutuamente la singularidad, pues todo esto es esencial para una relación fuerte.*[8]

---

[8] Margaret J. Wheatley, *Leadership and the New Science* (San Francisco, CA: Berrett Koehler Publisher, Inc., 2006), 39. [Traducido por el autor].

Un liderazgo que interactúa con la comunidad

Para poder ser misionales se debe pensar en la actitud de Jesús. Dos ejemplos de ello: la actitud que él tuvo cuando pidió a una mujer samaritana que le diera agua para beber (Juan 4:7); y cuando aceptó que una mujer pecadora ungiera sus pies (Lucas 7:37-40). Lo que estas actitudes implicaban no sólo era una demostración de misericordia de parte del Señor hacia el sector considerado pecador, y que en esa sociedad era profundamente discriminado, sino que con sus actitudes, Jesús estableció un hermoso principio del reino de Dios (Mateo 11:28-29).

Al seguir el ejemplo de Jesús la iglesia local logrará crear un ambiente restaurador de vidas y entenderá que ella es un ente eclesial de misión. Cuando este entendimiento sea realidad en los miembros de la congregación, la tendencia será modificar las estructuras existentes por grupos de acción misional. Cuando el Espíritu Santo empapa a la iglesia de la urgencia de la acción misional, entonces se rompen esquemas tradicionales que no aportan a la visión y que no tienden hacia afuera de las cuatro paredes.

Luego, cuando a la visión le sigue un entrenamiento acerca del significado de ser misional, se estará en el camino de una transformación profunda e integral muy positiva y poderosa. El presente libro puede servir como manual para brindar entendimiento y conocimiento de los aspectos involucrados.

Los grupos misionales que se generen en la iglesia pueden consistir de seis y hasta diez personas dirigidas por una pareja de esposos o bien de acuerdo al prototipo de gente con la que el grupo estará trabajando.

Por ejemplo, una iglesia con estructura misional podría estar integrada de la siguiente manera: grupos de acción misional de discipulado, (cuyo campo de trabajo consista en el evangelismo y un banco de comida); grupos de acción misional de alabanza (centrados en la alabanza y la adoración en la iglesia); grupos de acción misional de diáconos y servidores, etc. En apariencia podría parecer que tan sólo se trata de un cambio en el nombre de otros esquemas tradicionales, sin embargo, lo que se intenta con esto es que estos grupos y sociedades trabajen con un calendario común y toda la congregación sea compenetrada con una sola misión: la misión de Cristo para la comunidad en que la iglesia local se encuentra.

Eso es precisamente lo que necesita la iglesia, un acercamiento a la comunidad y la participación de todo el cuerpo de Cristo, algo mutuo en la misión de Dios.

Por lo tanto, al hacerlo así la motivación crecerá, pues el grupo estará llamado a unirse y comprenderá que es un cuerpo con diferentes testimonios del poder regenerador de Dios. Juan F. Martínez al hablar sobre las iglesias Latinas, puntualiza:

> *Estas iglesias comunitarias en su mayoría tienen un fuerte impulso misionero. Dios se ha hecho presente en las vidas de los feligreses y ellos quieren invitar a otros a disfrutar de esa presencia. Personas que tenían vicios destructivos o vidas destruidas experimentan el obrar maravilloso de Dios en sus vidas y quieren invitar a otros a recibir ese mismo don. Su experiencia personal de conversión crea entusiasmo y sirve como motivación para cumplir con la misión divina.* [9]

Desarrollo del equipo de acción misional

Jesús dijo a sus discípulos: "Venid en pos de mí, y os haré pescadores de hombres" (Mateo 4:19). Esto, para sus discípulos, es una clara invitación a cambiar radicalmente su forma de vida, una invitación a una nueva vocación, una nueva tarea. El llamado fue tan impactante que la respuesta no se hizo esperar: "Ellos entonces, dejando al instante las redes, le siguieron" (Mateo 4:20). Ahora bien, con el ejemplo de Jesús llamando a sus colaboradores, la iglesia aborda un nuevo reto: la invitación al diálogo y nuevas formas y mecanismos de ministerio.

El sentir normal de una congregación es la necesidad de un crecimiento numérico y espiritual; sin embargo, para que esto sea posible, es necesario evaluar las bases del liderazgo y buscar un enfoque en común que oriente a la grey para el desarrollo de la vocación y la tarea que Jesús encomendó a sus discípulos.

---

[9] Martínez, *Caminando entre el pueblo*, 76.

Las iglesias buscan formas para su desarrollo. Adoptan estrategias diversas, y *slogans* que definen la misión.

Sin embargo, muchas ocasiones estas estrategias y *slogans* no están realmente basados en la misión de Jesús.

Por esto, si la iglesia va a adoptar un programa, que éste sea el fruto del diálogo y la comprensión de lo que Dios está haciendo. En otras palabras, como dice Martínez, "la iglesia es llamada a unirse al proyecto de Dios."[10]

Cuando la iglesia en el pasado ha adoptado programas estériles, existe un sentir con el que hay que luchar. Adoptar solamente un nuevo programa nunca dará los resultados por sí solo. John M. Perkins afirma al respecto: "Solo algunas sugerencia practicas no son suficientes."[11]

Por esto, más que un conjunto de sugerencias de una forma nueva de hacer las cosas, lo que la iglesia necesita es una concietización.

Alan Roxburgh y Fred Romanuk, al hablar sobre concientizacion, nos dicen:

> *Esta puede ocurrir de varias maneras: la congregación o sus líderes sienten que hay problemas y retos que deben afrontar para minimizar su desarrollo, pero no están seguros del carácter o naturaleza del problema.*[12]

Algunas estrategias antes y después de la concientización

Es así necesario, como exponemos en este libro, que los pasajes de la Biblia que son pertinentes sean debidamente explicados. Algunos de esos pasajes son: Lucas 10:1-12; Hechos 10:1-34; 11:19-23; 13:1-3; 6:11-34. Conviene así, que el pastor predique sobre estos pasajes y haga la tarea de concientización con la ayuda del Espíritu Santo.

---

[10] Juan F. Martínez y Lau Branson, Mark, "OD722: Liderazgo misional para un mundo multicultural" (curso, Fuller Theological Seminary, Pasadena, 2009).

[11] Perkins, 1995, 88. "Una sugerencia práctica, no lo hagas sólo". [Traducción por el editor].

[12] Ibid., 5.

En el transcurso de esas predicaciones se estará creando diálogo e imaginación, elementos importantes en el proceso ejecutorio de las iglesias misionales.[13] Una vez que estas predicaciones se hayan impartido, es útil hacer una encuesta para evaluar resultados acerca del concepto misional.[14]

Por supuesto que los primeros que necesitan cambiar su mentalidad son los líderes de la congregación. Roxburgh y Romanuk, expertos en liderazgo misional, explican que la raíz del cambio está dentro de cada persona. Todas las personas que integran el equipo misional, deben haber experimentado ya el cambio en sus propias vidas, antes de ser capaces de hacerlo en el contexto de su comunidad.[15]

Seguido del desarrollo del equipo de acción misional, se puede ir trabajando en el entendimiento de los conflictos y necesidades de una comunidad determinada. En referencia a ello, John M. Perkins dice:

> *Nehemías nos ofrece un excelente modelo bíblico de liderazgo. Nehemías fue un hombre de negocios, un administrador, no un profeta ni sacerdote. Fue promotor de la comunidad cristiana. Con su liderazgo y su gente reconstruyó el muro de Jerusalén. Yo creo que Nehemías es un modelo de la clase de líderes que Estados Unidos necesita hoy para reconstruir nuestra sociedad quebrantada, para sanar a una nación enferma de pecado e inmoralidad.* [16]

Nehemías detectó un problema de injusticia específico dentro de su comunidad y se dedicó a combatirlo con una estrategia de Dios. De la misma manera, la iglesia de hoy es llamada a abatir la injusticia dentro de su comunidad. Esta es la luz que la ciudad necesita. Respecto a esta idea, Brynt L. Myer sugiere:

> *Para intervenir en el proceso de cambio se debe afirmar el lu-*

---

[13] Ibid.

[14] Para más detalles ver "Apéndice E." Resultados de la encuesta sobre qué es ser misional.

[15] Roxburgh and Romanuk. *The Missional Leader,* 114.

[16] Perkins, *Restoring At-Risk Communities*, 64-65. [Traducido por el autor].

> *gar de Dios, es decir, Dios desea que en las comunidades exista justica, transformación y paz. Si en una comunidad hay una iglesia, esta es llamada a ser la representante del Dios de la justicia en su ciudad. Eso será posible si la iglesia está dispuesta a reafirmar la dignidad de todos los seres humanos.*[17]

Cuando la iglesia ha comprendido su propósito en su comunidad y sabe que es representante del Señor para abatir sus problemas, el mismo Señor dará las estrategias específicas para que cumpla cabalmente con su misión.

---

[17] Myers, *Caminar con los pobres*, 128-129.

TOMANDO LA VISIÓN DE DIOS

CAPÍTULO 10

Para que cualquier proyecto misional pueda llegar a buen puerto en nuestra iglesia local, es indispensable que cada uno de los participantes esté lleno de la misión de Dios. Sin esta llenura le será muy difícil cumplir con su misión, y aunque inicie con cierto ánimo la falta de visión le hará desmayar.

Es por tanto, tarea del pastor -principalmente- hacer que la visión de Dios esté constantemente fresca en las mentes y corazones de sus miembros.

El estudio de pasajes bíblicos claves afines a la tarea misional

Ahora bien, para poder descubrir el perfil de liderazgo misional acertado es necesario evaluar ciertas bases bíblicas claves. El pasaje de 1 Timoteo 3:1 despierta un entendimiento más claro de lo que una misión significa, éste declara: "Si alguno aspira a ser supervisor, a noble función aspira."[1] El apóstol Pablo manifiesta cierta clase de admiración por alguien que quiera servir principalmente en las condiciones imperantes en los tiempos del Nuevo Testamento.

J. Oswald Sanders indica: "En la época de Pablo, un obispo enfrentaba gran peligro y preocupaciones inquietantes. Las recompensas por el trabajo de dirigir la obra de la iglesia eran:

[1] Nueva Versión Internacional.

dificultades, desdén y rechazo. El líder era el primero en atraer el fuego de la persecución, el primero en sufrir en la línea del combate."[2] Cuando se estudia este pasaje detenidamente en una clase especial para todos los miembros (principalmente con los líderes), seguramente hará surgir preguntas y comentarios interesantes.

Los asistentes tendrán ideas y nos hará llegar a la meta principal la cual es que el liderazgo de la congregación entienda que la función noble del servicio con la actitud correcta es el punto central de la tarea misional. Los motivos correctos son el motor que mueve la iglesia al servicio.

Al descubrir que los motivos son correctos, los resultados serán un profundo amor por el Señor, una genuina preocupación y un interés en la vocación que podrían motivar a la gente a servir.[3]

Mediante el estudio y explicación detallada de algunos pasajes claves de la Escritura en relación a la tarea misional dentro de la iglesia, ésta tendrá una nueva perspectiva y, con la ayudar del Espíritu Santo, se abrirá a un diálogo para buscar nuevas formas de ministerio con la actitud correcta.

El concepto de "misión de Dios"

Es indispensable que el concepto de "misión de Dios" cambie profundamente. Es natural que la concepción que se tiene sobre la misión de Dios en una congregación, es en relación a las "misiones."[4] La definición normalmente es corta y paradigmática: el consenso general conceptualiza como misiones lo que la iglesia hace cuando envía misioneros a otro país.

Con una definición así -tan corta y escasa de visión misional-, la iglesia no activará ningún otro plan en la comunidad que no sea acorde con las estructuras tradicionales a las que está acostumbrada. Tim Chester reevalúa el concepto de

---

[2] Sanders, J. Oswald, *Liderazgo espiritual* (Grand Rapids: Editorial Portavoz, 1995), 12.

[3] Ibid.

[4] Misiones: "Es lo que la iglesia hace cuando envía a un misionero a otro país", fue lo que respondieron inicialmente los miembros de la congregación.

misión de la siguiente manera: "Todo esto nos lleva a pensar nuevamente qué es y qué significa misión. Ya no es el envío de 'misioneros' al otro lado del mar, puesto que ahora nos estamos dando cuenta de que nuestro campo de misión está en nuestra propia tierra."[5] Este concepto envuelve un cambio de visión, un nuevo modo de ver las misiones. Cuando la visión sufre un cambio a nivel de concepto misional, la congregación comienza a activarse más en la comunidad; es un fruto de la nueva visión del liderazgo.

Este novedoso modo de ver la misión restauradora de Dios en la comunidad ayuda a la iglesia a conversar, observar y actuar con una noción misional precisa, la cual le permite ser más consecuente con lo que entiende por misión. Al respecto, Tim Chester dice:

> *La pasión por las almas debe provenir de lo que se siente por los pobres y, por lo tanto, el compromiso espiritual y social es expresión de un mismo evangelio como resultado de la misma motivación santa de la que proviene el amar al prójimo como a uno mismo. La evangelización sin amor al prójimo que sea capaz de ver el quebrantamiento y la injusticia, es una forma espiritualizada de un evangelio privatizado.* [6]

Por lo tanto, cuando la iglesia local empiece a usar un vocabulario común y compasivo, esto le ayudará a la construcción de un lenguaje de amor y un espacio para la comunicación de lo que Dios hace en su creación. Tal conducta producirá un sentimiento que permite a la iglesia escuchar a la comunidad y le ayuda a integrarse al proceso una acción concreta.

Cómo aplicar las experiencias narradas en la Biblia

Las experiencias de necesitados y desamparados que se escogieron como ejemplo para una plataforma pastoral misional bíblica, se escogieron con tres propósitos en mente: primero, evaluar las historias dentro de su contexto histórico, con el fin de tener un acercamiento y descubrir cuáles fueron las razones

---

[5] Chester, *Justicia, misericordia y humildad,s,* 175.
[6] Ibid., 136.

por las que fueron incluidas en el texto bíblico; segundo, equiparar estas historias a marcos parecidos en la época actual (de estas historias derivan las crisis, los momentos vulnerables, los tiempos de escasez, los momentos de soledad y de clamor, así como la solución que Dios brindó a todas estas problemáticas); tercero, observar el modo en que estas historias retan a la iglesia en cuanto a sus prácticas misionales con los desamparados.

Los temas sobresalientes en cada uno de los relatos nos dan una indicación clara de que la iglesia es llamada a ver por los necesitados que hay en su entorno.

En las historias narradas en la Biblia podemos observar necesidades comunes y problemas complejos. Por ejemplo, la problemática de los desamparados en un contexto de discriminación, asunto que retó a la congregación de la iglesia primitiva. Esta experiencia se sigue repitiendo en las iglesias de hoy. En muchas congregaciones geográficamente localizadas en países fuera de Latinoamérica y España (y otros lugares en donde se habla español como idioma nacional), el aspecto del idioma y la cultura es sumamente importante y no deja de ser algo con mucha similitud a lo experimentado por la iglesia de Hechos capítulo 6.

De esta manera, al examinar las historias bíblicas, tal como la mencionada anteriormente como ejemplo, podemos desarrollar una teología de compasión. Para muchas congregaciones la integración racial y de lenguaje es un problema muy profundo y debe examinarse a la luz de las Escrituras.

Comprender la fueza motriz que impulsa a la iglesia

La motivación que se crea es el obrar del Espíritu dentro de la iglesia, la cual percibe que Dios está activo transformando vidas; vidas que impactan a las estructuras desafiándolas con el mensaje de amor de Dios.

El equipo de acción misional dentro de una iglesia se mueve en el sentir de Dios y en los propósitos que Éste ha establecido. Entiende que la iglesia debe comunicar y trasmitir con acciones compasivas el mensaje que ha recibido, pues a través de estas acciones se podrá entender cuál es la fuerza motriz que impulsa a la iglesia.

Por lo tanto, la motivación que mantiene activa a la iglesia misional se encarna en aquellos que quieren responder a la misión de Dios, base principal de toda motivación.

La iglesia debe mirar con ojos redentores su entorno, decidir férreamente qué clase de iglesia quiere ser en la comunidad, analizar la clase de presencia que desea tener. Si la congregación se identifica como parte de la vida de la comunidad, no podrá ignorar la necesidad que tiene un porcentaje altísimo de mujeres y madres solas, por ejemplo. Ello se puede observar en las calles, mercados, lavanderías y sitios comúnmente visitados por esas madres viudas y solteras.

Una iglesia que desea tomar seriamente la visión de Dios es retada a ver más allá de las estructuras, las necesidades y los problemas ya que, aun cuando en la ciudad existan problemas sociales, espirituales y estructurales, se debe entender que esa es precisamente la razón por la que existe la iglesia. Eddie Gibbs comenta al respecto:

> *Para guiar a una iglesia hasta un lugar más allá del punto de inflexión estratégico, es necesario un claro sentido de visión por un futuro deseado que sea significativamente diferente del actual. También se requiere de una comprensión igualmente clara de dónde se encuentra la iglesia en la actualidad. Porque el único lugar para empezar es donde estamos.* [7]

Aunque Gibbs crea sus planteamientos partiendo del impacto global y modernista que está afectando la iglesia de hoy, si una iglesia quiere ser eficaz dentro de su contexto, es llamada a desarrollar un agudo sentido de visión redentora en el lugar en donde ministra. Al leer lo que dice Dios por el profeta Jeremías podremos comprender mejor este concepto de integración. Dios quiere que su pueblo se integre a la ciudad en donde Él le ha puesto. Nos dice:

> *Así ha dicho Jehová de los ejércitos, Dios de Israel, a todos los de la cautividad que hice transportar de Jerusalén a Babilonia: Edificad casas, y habitadlas; y plantad huertos, y comed del*

[7] Gibbs, *La iglesia del futuro*, 37.

> *fruto de ellos. Casaos, y engendrad hijos e hijas; dad mujeres a vuestros hijos, y dad maridos a vuestras hijas, para que tengan hijos e hijas; y multiplicaos ahí, y no os disminuyáis. Y procurad la paz de la ciudad a la cual os hice transportar, y rogad por ella a Jehová; porque en su paz tendréis vosotros paz (Jeremías 29:4-7).*

Estos versos retan a la iglesia en relación a cómo verse e identificarse dentro de su entorno. Para lograr este objetivo, los grupos misionales de la iglesia local necesitan darse a la tarea de escuchar e interrelacionarse entre la gente de su entorno, pues si la iglesia quiere hacer presencia significativa en la ciudad, necesita tener una visión distinta de ella primero.

Adquiriendo la visión de Dios

Para lograr la transición de una iglesia tradicional a una iglesia misional, es indispensable orientar a la congregación a ver la comunidad con otros ojos, a tener una "visión" distinta, es decir, enseñarla a ver con ojos de compasión y compromiso. Solo con dichas actitudes se podrán desarrollar proyectos orientados con justicia, compasión y humildad.

Eddie Gibbs, al enfatizar la visión que Dios quiere que se tenga de la ciudad sugiere:

> *Este término ve a la iglesia principalmente como un instrumento de Dios para la misión. Una iglesia que es misional entiende que la misión de Dios llama y envía a la iglesia de Jesucristo para que sea una iglesia misionera dentro de su propia sociedad y en las culturas en las cuales la iglesia se encuentra a sí misma. La misión es el resultado de la iniciativa de Dios, arraigada en [sus] propósitos para restaurar y sanar a la creación.* [8]

Tomando en cuenta la declaración de Gibbs, se puede decir que la iglesia es misional a medida que entiende su vocación, predica el evangelio del reino, se transforma en una comunidad integrada de todos los discípulos, y manifiesta un sentido de adoración y compromiso con Cristo. Este compromiso lleva

---

[8] Ibid., 57.

a tal iglesia a dar testimonio de la santidad de Dios y a crear una atmósfera de comunión cristiana entre todos los discípulos.

El resultado es la integración entre el cuerpo de Cristo, llevando a la iglesia a desarrollar las prácticas básicas de la fe Cristiana. Entre esas prácticas está la lectura de la Biblia, como base normativa, y el desarrollo de la hospitalidad como acto de amor, dejando como testimonio que la iglesia es un agente del reino de Dios.

La misión es la «*missio Dei*» que busca subsumir en sí misma las «*misioness ecclesiae*», los programas misioneros de la iglesia. No es la iglesia la que "emprende" la misión; es la «*missio Dei*» la que constituye a la iglesia. La misión de la iglesia necesita una renovación y reconceptualización continuas.[9]

La «*missio Dei*»[10] tiene una historia larga. Una forma de entender mejor el concepto es ver como lo describe Wrigth:

> *La frase significaba originalmente: el envío de Dios, en el sentido de que el Padre envió al Hijo y ambos enviaron al Espíritu Santo. Toda misión humana, bajo esta perspectiva, es vista como una participación y extensión de ese divino envío.* [11]

De esta manera, cuando se despierta un sentido de vocación misional, la iglesia participa en el plan redentor de Dios con su creación, y ésta se une con la Trinidad participando activamente. También expone y encarna lo que nos ha sido entregado por vocación.

Por lo tanto, esa es la motivación para actuar en fe y obediencia en la misión de Dios para la comunidad donde la iglesia ministre, y así encarnar el mensaje que predica.

Los desamparados en la Biblia para un entendimiento misional

Al comentar algunas de las historias bíblicas seleccionadas co-

---

[9] Bosch, *Misión en transformación:* 231.
[10] *Missio Dei.* Misión de Dios.
[11] Wright, Christopher J. H., *The Mission of God: Unlocking the Bible's Grand Narrative* (Downers Grove: IVP Academic, 2006), 63. [Traducido por el autor].

mo ejemplo, se pretende mostrar que la misión de Dios también comprende el grupo de los hombres y mujeres desamparados, y que ellos también representan a personas de nuestro tiempo.

La mayor parte de estos ejemplos tienen que ver con mujeres viudas y madres solteras. Y es comprensible, porque este es uno de los sectores más vulnerables de la sociedad desde los tiempos bíblicos y a través de la historia de la humanidad.

En primer lugar tenemos que entender que la misión de Dios para atender las necesidades urgentes de estos grupos parte de su esencia misma, de la naturaleza de amor que Dios muestra para con todos. Es este amor de Dios el que se manifiesta en acciones protectoras, de justicia y apoyo para aquellos que sufren a causa de los abusos, la desigualdad y la pobreza.

De esa manera comprobamos que la justicia de Dios es su carta de presentación para su pueblo, quien a su vez es quien fija el recuerdo de la provisión de Dios para así mantener abierta su convicción de la provisión divina en el futuro.[12]

Las historias bíblicas reflejan gran similitud con la realidad presente. La desigualdad en el trato a las mujeres, por ejemplo, ha existido y se mantiene en gran parte del mundo. Esto se comprueba al observar el contexto de las mujeres de la Biblia, quienes aunque hacían gran parte de los trabajos duros de la casa y del campo, ocupaban un lugar secundario en la sociedad.[13] Y aunque el tipo de trabajo otorgado a las mujeres pudiere variar en nuestros días, el trato desigual hacia ellas persiste.

Una teología correcta

Una teología correcta será aquella que responda con carácter misional y compasivo a la realidad en la que se vive y ministra. Esta advierte que el enfrentamiento de las mujeres viudas y solteras del tiempo bíblico a un mundo de injusticia, de desigualdad y de pobreza desató en ellas una serie de crisis, preguntas y clamores al Dios de la justicia.

---

[12] Xabier Pikaza, *Mujeres de la biblia Judía.* (Barcelona: CLIE, 2013), 17.

[13] Jorgue E. Maldonado *Fundamentos bíblicos teológicos del matrimonio y la familia.* (Grand Rapids: Libros Desafío, 2006), 17.

Por consiguiente, la tarea de la iglesia consiste en crear espacios de acercamiento a la justicia y provisión divina en servicio de todo ese sector que sufre los embates de la opresión.

En ese sentido, el liderazgo de la iglesia tiene la importante tarea de activar al resto de ella para que, en cualquier contexto, vivifique la verdad de Dios con sentido de compasión por los que sufren.

Al leer acerca de los desamparados en la Biblia se puede ver a Jesús como aquel que encarna, vive y entiende a los que padecen dolor (Mateo 5:6). Esto supone así, que cuando se intenta activar la visión divina para los que sufren, se tiene en la persona de Jesús el modelo perfecto a seguir.

Jesús es el medio por quien la iglesia alcanza los recursos divinos para asistir a la comunidad que ministra.

Esa tarea requiere que se desarrolle un correcto entendimiento de los textos bíblicos que orientan al pueblo de Dios a activarse misionalmente.

La palabra hermenéutica proviene del gr. <<*hermes*>> "mensajero de los dioses (en la antigua Grecia)," y significa "el arte de explicar, traducir o interpretar". Una hermenéutica de carácter misional es indispensable para fundamentar las conclusiones bíblicas, y para que éstas tomen formas y matices reveladoras en la mente del pueblo de Dios, y así le enfrenten y desafíen. Esto se traduce en un pensamiento teológico pastoral que esté en armonía con el Dios de la justicia.[14]

El sentir divino en relación a los desamparados

En los textos bíblicos yace el sentir divino con respecto a las personas desamparadas y marginadas, por ejemplo, en Deuteronomio se relata:

> *Cuando haya en medio de ti menesteroso de alguno de tus hermanos en alguna de tus ciudades, en la tierra que Jehová tu Dios te da, no endurecerás tu corazón, ni cerrarás tu mano contra tu hermano pobre, sino abrirás a él tu mano liberal-*

---

[14] Zaldívar, Raúl; Miguel Alvarez y David E. Ramírez, *El rostro hispano de Jesús. Una visión cultural, pastoral y social.* (Barcelona: CLIE, 2014), 10.

mente, y en efecto le prestarás lo que necesite (Deuteronomio 15:7-8).

Lo que denota este pasaje, no sólo es una orden divina hacia los israelitas sino una idea del Todopoderoso que descansa en su carácter mismo. Esto también es el motor de acción del pueblo de Dios para con los que sufren; es decir, la iglesia encarna la verdad de Dios al brindar auxilio a los que lo necesitan. Por otro lado, negar la virtud de la compasión lleva al pueblo de Dios a la ingratitud, como bien lo dice García-Johnson:

La indiferencia y la apatía son lo opuesto a la caridad; la indiferencia y la apatía convierten a la otra persona en un ser invisible e inexistente.[15]

Dicho de otra forma: no se puede negar la demanda divina, ya que hacerlo es renunciar a la identidad esencial del pueblo de Dios. La iglesia es retada a ver en Jesús los principios de compasión. Es en Jesús que la caridad es vista y esta es, de alguna forma, la adoración visible al Dios invisible.[16]

Por lo tanto, desarrollar una teología para los desamparados, no sólo es leer el texto que narra una experiencia. Hay que traducir las enseñanzas y virtudes derivadas de la revelación bíblica sobre el tema de los desamparados que desembocan en acciones concretas. Estas acciones son producto del diálogo, la comprensión y la aceptación de la verdad de Dios para su pueblo. Eso es precisamente lo que significa encarnar la teología en los desamparados.

Es claro que la Biblia muestra la intención y la misión de Dios con los que sufren. Dios activa su gracia para con las personas, con el fin de cambiar el estatus de desprotección por el de protección; y mudar la identidad propia de ellos. De lejanos a cercanos; y de extraños a familia de Dios. La primera parte del Salmo 68:6 afirma:

Dios hace habitar en familia a los desamparados.

---

[15] García-Johnson, 27.
[16] Ibid.

Esta frase tremenda declara la intención del Dios de la familia. En la intención y la misión de Dios la iglesia debe hallar la base para desarrollar su teología de misión.

En la última parte de este libro estaremos analizando los ejemplos a los que hemos estado haciendo referencia. En ellos veremos más claramente la mente de Dios en acción con respecto a los que sufren, y de esta manera, Él mismo nos invita a mostrar las mismas cualidades que Él mostró.

~ CONCLUSIÓN ~

A lo largo de este libro hemos estado analizando los distintos aspectos que tienen que ver con la teología de la compasión y su aplicación práctica a la iglesia local.

Hemos encontrado fundamento en muchos pasajes de la Biblia, tanto del Antiguo como del Nuevo Testamento para comprobar el pensamiento de Dios en cuanto a los necesitados y lo que Él demanda de todos nosotros.

Asimismo, en los ejemplos narrados en el contexto del pueblo de Israel, de los tratos de Jesús y en la iglesia primitiva encontramos también padrones que seguir acerca de nuestras actitudes y acciones con respecto a los desamparados y menospreciados de nuestro propio contexto.

Es entendible que una iglesia pueda tener una desconexión con sus programas ministeriales derivada de la falta de experiencia, y un número de obstáculos que también estuvimos mencionando. Estos obstáculos tienen que ver con aspectos físicos, logísticos, de conocimiento, entrenamiento y de actitud.

Es por supuesto una actitud equivocada lo que produce indiferencia misional. Para eliminar dicha actitud, es indispensable que la congregación vaya a través de la Biblia, y luego conozca su propio contexto y aprecie la forma en que podría cambiar su historia.

La congregación tiene que verse reflejada en las historias de la Biblia. Como ejemplo pertinente a esa situación se puede ver a los primeros cristianos que fueron esparcidos por la persecución en contra de la Iglesia de Jerusalén y que iban anunciando el evangelio (Hechos 8:2-4). A pesar de que las condiciones no eran las mejores, sus vidas y sus testimonios fueron las plataformas que Dios utilizó para hacer presencia con el evangelio.

Se puede notar que tales creyentes evidenciaron el verdadero espíritu de los testigos de Jesús hasta el fin del mundo

(Hechos 1:8). Con su testimonio impactaron culturas (Hechos 11:19-21) y con el evangelio fundaron iglesias (Hechos 1:1-3).

Por otro lado es necesario que la iglesia local investigue por sí misma lo que significa ser una iglesia misional y luego crear prácticas que motiven el servicio.

La iglesia debe también aprender estrategias que le permitieran leer su ciudad. Ello con el fin de conocer el contexto en que ella estará ministrando. Estudiar la ciudad siempre dejará conocimientos nuevos en la congregación.

La lectura teológica de la ciudad es también una herramienta que se tiene al alcance, esto a fin de que la congregación conozca mejor su zona de misión.

También son muy útiles las narraciones bíblicas acerca de diversos hombres y mujeres necesitados en las que pueda verse directamente la intervención del Dios de la justicia. En este libro se seleccionaros algunos de estos casos y cada historia seleccionada, tanto del Antiguo como del Nuevo Testamentos, brinda lecciones pertinentes, muchas de las cuales retan a una congregación a pensar y actuar con sensibilidad. Además, ayudan a crear una teología de compasión con aquellos que sufren por la falta de bienes materiales, de compañía y otras diversas carencias que el ser humano suele tener.

Por otro lado, para formar un liderazgo que esté en capacidad de ser misional en la ciudad o comunidad en que la iglesia local ministra, las historias narradas también nos ayudan a abrir diálogos y puentes para actuar acorde a los principios del reino.

Ahora bien, la iglesia necesita definir su teología de misión conforme a sus propias experiencias y contexto tomando como base los pasajes bíblicos y las narraciones de la Biblia acerca de la compasión.

Por último, siempre tenemos que recordar que crear una iglesia misional nunca será de un día a otro, es un proceso. En este proceso se debe crear un carácter misional que pueda estar en la capacidad de elaborar un proyecto de asistencia a una necesidad identificada.

La congregación, con todas las acciones propuestas en este

libro aprenderá que se puede ser misional aunque no se tengan todas las estructuras y todos los recursos, pues se trata mayormente de escuchar a Dios en cuanto a lo nuevo que quiere hacer en la ciudad que ama y cuida. Ello lo demuestra a través de su cuerpo, que es la iglesia, para que así Él mismo haga presencia en esa parte del mundo en que Él nos ha puesto.

~ BIBLIOGRAFÍA ~

- Aljazeera America. "Demographic of the City of Compton." http://america.aljazeera.com /articles/2013/10/24/asdemographics-shiftanewgenerationofleaderstakechargeincompton.html (Acesso 25 de Junio del 2015).
- Arana, Pedro, Samuel Escobar, y C.René Padilla. *El trino Dios y la misión integral.* Buenos Aires: Ediciones Kairós, 2003.
- Bakke, Ray. *El cristiano en la ciudad.* México: Kyrios, 1987.
- Balge, Richard D. *Hechos. La Biblia Popular.* Eds. Panning, Armin J., Albrecht, G. Jerome; y Ehlke, Roland Cap. Milwaukee: Editorial Northwestern, 1999.
- Barclay, William. *Comentario al Nuevo Testamento.* Barcelona: CLIE, 2006.
- Bevans, Stephen B. Y Schroeder, Roger. *Constant in Context: A Theology of Mission for Today.* American Society of Missiology Series. New York: Orbis Books, 2004.
- Bosch, David. *Misión en transformación: Cambios paradigmáticos en la teología de la Misión.* Grand Rapids, MI: Libros Desafío, 1998.
- Caballero Yoccou, Raúl. *Comentario Bíblico del Continente Nuevo*: Hechos 1. Miami: Editorial Unilit, 1992.
- Carro, Daniel. *Comentario Bíblico Mundo Hispano:* 1 Reyes, 2 Reyes y 2,.Crónicas. Vol. 6. El Paso: Editorial Mundo Hispano,1993.
- ______. 1993. *Comentario Bíblico Mundo Hispano:* 1 Samuel, 2 Samuel y 1 Crónicas. El Paso: Editorial Mundo Hispano.
- Carro, Daniel; Poe, José Tomás; Zorzoli, Rubén O. *Comentario Bíblico Mundo Hispano*, Mateo. Vol. 14. El Paso: Editorial Mundo Hispano, 1993.
- Castells, Manuel. *The Informational City.* Malden, MA: Blackwell Publishers Ltd, 1991.
- Channel 4 News. "Prostitutes Rescued in Compton Sex Trafficking Case". http://www.nbclosangeles.com/news/local/Child-Prostitute-Rescued-Compton-Sex-Trafficking-Case-221944441.htmlChild (Acceso 28 de julio del 2015).
- Chester, Tin, ed. *Justicia, misericordia y humildad.* Buenos Aires: Ediciones Kairós, 2008.
- City-data.com. "90221 Zip Code Detailed Profile." http://www.city data.com /zips/90221.html (Acceso 23 de junio del 2015).

- City Of Compton. "History of the City". http://www.comptoncity.org/visitors/history.asp (Acceso 23 de Junio del 2015).
- Compton Police Gangs. "Compton History". http://www.comptonpolicegangs.com/comptonhistory.html (Acceso 23 de junio del 2015).
- Demographic shift: "Compton's New Latino Majority". http://america.aljazeera.com /articles/2013/10/24as-demographics-shiftanewgenerationofleaderstakecharge incompton.html (Acceso 25 de junio del 2015).
- Díaz, Samuel. *Comentario Bíblico del Continente Nuevo*: San Lucas. Miami: Editorial Unilit, 2007.
- ______. *Movimientos sociales urbanos*. Iztapalapa, MX: Siglo XXI Editores, 2008.
- DPSS: Department of Public Social Services. "Welfare to Work Program". http://www.cdss.ca.gov/calworks/CalWORKs (Acceso 19 de noviembre del 2015).
- Driver, Juan. *Imágenes de una iglesia en misión: Hacia una eclesiología transformadora*. Santa Fe de Bogotá: Ediciones Clara Semilla, 1998.
- El punto cristiano. "La iglesia primitiva y los pobres." http://elpuntocristiano.org/estudio/iglesia-primitiva-pobres/ (Acceso 20 de octubre del 2015).
- Escobar, Samuel. *Tiempo de misión*. Santafé de Bogotá: Ediciones Clara-Semilla, 1999.
- Even, Van. *El pueblo misionero de Dios*. Grand Rapids, MI: Libros Desafío, 2004.
- Figura 2. "Races in Compton, CA". http://www.city-data.com/races/races-Compton-California.html (Acceso 23 de junio del 2015).
- Freire, Paulo. *Pedagogía del oprimido*. Buenos Aires: Siglo XXI Editores, 2008.
- García-Johnson, Oscar. *Jesús hazme como tú*. Bogotá: Editorial Kerygma, 2010.
- George Sherron K. *Llamados al compañerismo en el servicio de Cristo: La práctica de la misión de Dios*. Quito: Sinodal, 2006.
- Gibbs, Eddie. *La iglesia del futuro*. Buenos Aires: Editorial Peniel, 2005.
- González, Antonio. *Reinado de Dios e imperio*. Santander: Sal Terrae, 2003.
- Gornik, Mark R. *To Live in Peace: Biblical Faith and the Changing Inner City*. Grand Rapids, MI: Eerdmans, 2002.

- Green, Joel B. y McKnight, Scot. *Dictionary of Jesus and the Gospels*. Downers Grove, IL: InterVarsity Press, 1992.
- Green, Michael. *La evangelización en la iglesia primitiva*. Grand Rapids, MI: Nueva Creación, 1997.
- ______. *La iglesia local: Agente de evangelización.* Grand Rapids, MI: Nueva Creación, 1996.
- Harper, A. F. "La epístola general de Santiago", *Comentario Bíblico Beacon*: Hebreos hasta Apocalipsis. vol 10. Lenexa, KS: Casa Nazarena de Publicaciones, 2010.
- Heifetz, Ronald. *Leadership without Easy Answers.* Cambridge, MA: Harvard University Press, 1999.
- ______. *Liderazgo sin respuestas fáciles.* Barcelona: Editorial Paidós, 1997.
- Hirsch, Alan. *Caminos olvidados: Reactivemos la iglesia misional.* USA: Missinal Press, 2009.
- Jeremias, Joachhim. *Teología del Nuevo Testamento.* Vol. I. Salamanca: Ediciones Sígueme, 1985.
- KCET. "A Southern California Dream Deferred: Racial Covenants in Los Angeles". http://www.kcet.org/socal/departures/columns/portraits/a-southern-california-dream-deferred.html (Acceso 25 de junio del 2015).
- ______. "Socal focus". http://kcet.org/updaily/socal_focus/places/migrating-from-the-south-to-compton.html (Acceso 23 de Junio del 2015).
- Los Angeles Times. "Compton Plan to Annex East Rancho Dominguez Gets Cool Reception." http://articles.latimes.com/2013/dec/27/local/la-me-adv-compton-annex-20131228. (Acceso 23 de junio del 2015).
- ______. "The Homicide Report." http://homocide.latimes.com/neighborhood/compton (Acceso 29 de Julio del 2015).
- MacDonald, William. *Comentario al Nuevo Testamento*. Barcelona: CLIE, 1995.
- Maldonado, Jorge. "Migración y familia." En *Vivir en el exilio*, editado por Jorge Maldonado y Juan Martínez, 35-47. Buenos Aires: Ediciones Kairos, 2008.
- ______. *Fundamentos bíblicos teológicos del matrimonio y la familia*. Grand Rapids, MI: Libros Desafío, 2006.
- Martínez, Juan. *Caminando entre el pueblo ministerio latino en los Estados Unidos*. Nashville: Abingdon, 2008.
- ______. *Sea la luz*. Denton, TX: University of North Texas Press, 2006.

- ______ y Luis Scott, eds. *Iglesias peregrinas en busca de identidad.* Buenos Aires: Ediciones Kairos, 2004.
- ______ y Mark Lau Branson. "OD722: Liderazgo misional para un mundo multicultural." Curso, Fuller Theological Seminary, Pasadena, CA, 2009.
- ______. y Oscar García-Johnson. "OD777: Promoviendo transformación misional bíblica." Curso, Fuller Theological Seminary, Pasadena, CA, 2012.
- Merriam-webter.com. "Ghetto." http://www.merriam-webster.com/dictionary/ghetto
- Miranda, Jesse. *El ministerio de la iglesia.* Irving, Texas: IIC, 1987.
- Myers, Bryant. *Caminar con los pobres: Manual teórico de desarrollo transformador.* Buenos Aires: Ediciones Kairos, 2002.
- Neighborhood Scout. "2015 Top 100 Most Dangerous Cities in the U.S". http://www.neighborhoodscout.com/neighborhoods/crime-rates/top100dangerous/(Acceso 23 de junio del 2015).
- Padilla, C. René. *Bases bíblicas de la misión.* Buenos Aires: Nueva Creación, 1998.
- ______. *Misión integral.* Buenos Aires: Nueva Creación, 1986.
- ______ y Tetsunao Yamamori, eds. *La fuerza del Espíritu en la evangelización.* Buenos Aires: Ediciones Kairos, 2006.
- ______. *La iglesia local como agente de transformación.* Buenos Aires: Ediciones Kairos, 2003.
- Pagán, Samuel. *Introducción a la Biblia hebrea.* Barcelona: CLIE, 2012.
- ______. *Púlpito, teología y esperanza.* Miami, Florida: Editorial Caribe, 1988.
- Pannenberg, Wolfhart. *Ética y eclesiología.* Salamanca: Ediciones Sígueme, 1986.
- Perkins, John M., ed. *Restoring At-Risk Communities: Doing It Together and Doing It Right.* Grand Rapids, MI: Baker Book House, 1995.
- Pfeiffer, Charles F., ed. *Comentario Bíblico Moody*, Antiguo Testamento. Grand Rapids, MI: Editorial Portavoz, 1993.
- Pikaza, Xabier. *Mujeres de la Biblia hebrea.* Barcelona: CLIE, 2013.
- Roxburgh, Alan and Fred Romanuk. *Manual de iglesias misionales.* Pasadena, CA: Instituto de Liderazgo Misional, 2006.
- ______. *The Missional Leader. Equipping Your Church to Reach a Changing World.* San Francisco, CA: Jossey-Bass, 2006.

- Rindzinski, Milka y Martínez, Juan Francisco, eds. *Comunidad y misión desde la periferia.* Buenos Aires: Ediciones Kairos, 2006.
- Ryle, J. C. *Meditaciones sobre los evangelios*: Lucas, trad. Elena Flores Sanz. Vol. 2. Moral de Calatrava, España: Editorial Peregrino, 2002 -2004.
- Ropero Berzosa, Alfonso. *Gran Diccionario Enciclopédico de la Biblia.* Barcelona: CLIE, 2013.
- Sanders, Oswald J. *Liderazgo espiritual.* Grand Rapids, MI: Editorial Portavoz, 1995.
- Sanner, A., Elwood. El Santo Evangelio Según San Marcos, en *Comentario Bíblico Beacon*: Mateo hasta Lucas Tomo 6. Lenexa, KS: Casa Nazarena de Publicaciones, 2010.
- Schwarz, Christian y Schalk, Christoph. *Desarrollo natural de la iglesia en práctica.* Terrassa, Barcelona: CLIE, 1997.
- Street Gangs.com. "Blood (Piru) Gangs in Compton, California". http://www.streetgangs.Com/bloods/ compton#sthash.wK4WDUM3.dpuf (Acceso 29 de Julio 2015).
- Tanner, Kathryn. *Spirit in the Cities: Searching for Soul in the Urban Landscape.* Minneapolis, MN: Fortress Press, 2004.
- Van Engen, Charles. *El pueblo misionero de Dios.* Grand Rapid, MI: Libros Desafío, 2004.
- ______. "Los latinos como inmigrantes: Ministerio en movimiento." En *Vivir en el exilio*," editado por Jorge Maldonado y Juan Martínez, 17-33. Buenos Aires: Ediciones Kairos, 2008.
- Van Gelder, Craig, ed. *The Missional Church in Context: Helping Congregations Develop Contextual Ministry.* Grand Rapids, MI: Eerdmans, 2007.
- Vander Velde, Frances. *Mujeres de la Biblia.* Grand Rapids, MI: Editorial Portavoz, 1990.
- Wheatley, Margaret J. *Leadership and the New Science.* San Francisco, CA: Berrett Koehler Publisher, Inc., 2006.
- Wright, Christopher J. H. *The Mission of God: Unlocking the Bible's Grand Narrative.* Downers Grove, IL: IVP Academic, 2006.
- Zaldívar, Raúl; Álvarez, Miguel y Ramírez, David E. *El rostro hispano de Jesús, una visión cultural, pastoral y social.* Barcelona: CLIE, 2014.

La editorial Palabra Pura está dedicada a crear materiales de educación cristiana pentecostal y carismática para el estudio personal, la iglesia e institutos bíblicos. Usted puede consultar los recursos que ofrecemos en nuestra página web:

www.Palabra-Pura.com

Gracias por ser parte de nuestra comunidad de lectores y darnos el privilegio de servirle.

¡Dios le bendiga!

CPSIA information can be obtained
at www.ICGtesting.com
Printed in the USA
FSHW021516281021
85724FS